ZOMBIS DEL ESPACIO... Y VAMPIROS

ANGELA B. CHRYSLER

Traducido por

JOSÉ MANUEL MIANA BORAU

Para mis compañeros nerds.
Que empiece el juego.

AGRADECIMIENTOS

Aquí está otra vez: otra página de agradecimientos que no le gusta leer a nadie, a excepción de los que son mencionados en ella. Así que, en su lugar, aprovecharé este momento para explicar un poco los personajes de Zombis del espacio.

Esta obra es, por desgracia, de ficción. Las empresas y los lugares que aparecen son productos de la imaginación de la autora o se usan de manera ficticia. Los eventos y sucesos son formados en el trastornado cerebro de la autora, quien está todavía sentada por ahí, inmersa en un arsenal camuflado de apacible jardín mientras espera que comience el apocalipsis zombi y una invasión alienígena a la vez. Los vampiros los encasqueté por diversión, porque... ¿cómo no se podía empeorar una mala historia?

Los nombres y personajes de este libro son personas reales que viven indirectamente a través de esta historia. Cualquier parecido con personas reales, vivas o muertas, es *completa y totalmente intencionado... Y con el permiso exclusivo de los personajes mencionados. Todas las características de dichas personas también se han basado en su propio diseño.*

Stanislava D. Kohut se llamó a sí misma Stanushka, y pidió chicle rosado y coletas rosadas mientras manejaba una bazuca gigante junto con sus armas fetiche. Le dije: "¡Vale!".

Adam Dreece dijo: "¡Quiero un chaleco con bolsillos! ¡Muchos bolsillos! ¡Y lleno de todo tipo de chuminadas y cosas! ¡Y acuérdate de mi monóculo!". Le dije: "¡Vale!".

Matthew William Harrill dijo: "¡Quiero estar desnudo usando solo un taparrabos impregnado de ajo y botas!". Yo dije: "¿Valeeee...?", y añadí la bufanda del doctor Who como homenaje a Tom Baker y a la herencia inglesa de Matt. Solo me pareció apropiado que Matt robase mi bufanda de edición de coleccionista y se envolviese en ella como atuendo.

¿Su respuesta al leer eso? "¡Seguro que haría eso!". Sí, Matt... sí, lo harías. Y yo te daría caza por ello.

Otros personajes que merecen una mención y reconocimiento son:

C.L. Schneider (Cin Dixon)
Stan Sudan (El profesor)
Kylie "Kraken" Jude

Chess DeSalls (Chess "Cutlass" DeSalls)
Jay Norry
J.S. Swiger
M.L.S. Weech, quien pidió ser uno de los zombis. Así que le hice el honor y le convertí en todos ellos.

¡Y nuestro querido barco, el HMS Cerebro Granizado! Que es un verdadero grupo de debate en Twitter al que nombramos cariñosamente el HMS Cerebro Granizado. No, no puedes unirte. Es un grupo privado para nuestro colectivo. Celebramos reuniones secretas y hacemos planes para dominar el mundo. Pero debido al cerebro granizado que todos poseemos, dudo que alguno de nosotros realmente tenga éxito en ello. Para que conste, Matt es nuestro "Pinky". El resto de nosotros somos "Cerebro".

Los personajes adicionales en esta historia se basan en amigos de la vida real a los que retrato mejor según su carácter y peticiones (espero).

Sumérgete junto a mí en mis libros. Te mostraré lo que veo.

INTRODUCCIÓN

Concebí esta idea poco después de ver *Kung Fu Panda* 3. Al principio el tráiler mostraba a dos tíos ahí de pie... "Zombis... ¡en el espacio!". Tras garabatear "zombis del espacio" en una servilleta de palomitas de maíz, pensé en mi idea durante las siguientes dos horas, mientras trataba de no explotar de entusiasmo. (La película estuvo genial, por cierto.)

Cuando llegué a casa, tenía una trama, pero se me presentó un desafío.

Mi marido es un científico. Más concretamente, es físico y tiene un máster en química orgánica. ¿Conocéis eso que hace Sheldon Cooper? Ese es mi marido. Mi marido es también un ávido lector de ciencia ficción donde hay una regla de oro: "Precisión científica". Él no ve *The Walking Dead*, así que todos los lunes por la noche, lo pongo al día sobre el próximo episodio. ¿Su razón para no ver TWD?

—Hay demasiados agujeros en la trama basados en un concepto ridículo: ¡los zombis son ilógicos! —argumenta.

—¡A quién le importa! —respondo yo— ¡Son zombis! No son más lógicos que Bruce Campbell y su ejército de las tinieblas.

—Sí, pero... ¡es Bruce!

Aquí es cuando suspiro y lo llamo zombífobo.

—¡Bruce es tan jodidamente malo que es increíble! —dice mi marido.

—¿Entonces estás diciendo que los zombis de *Walking Dead* son maravillosamente reales?

—¡No! ¡Son malísimos! ¡Pero *creen* que son realistas!

—Entonces, ¿se toman a sí mismos demasiado en serio? —pregunto.

—¡Sí! —la vena de su cuello está latiendo—. ¡Por eso *Zombis del espacio* es increíble!

Dejo a un lado mi sensación de inseguridad y sigo discutiendo.

—No veo TWD por los zombis —digo— Son jodidamente geniales. Pero no son por lo que veo la serie. Veo la serie por los personajes.

—Sí, pero la están alargando —dice—. Van a llegar a la misma conclusión que todos los demás... La misma respuesta obvia, ¡pero están tardando seis temporadas en llegar a ella!

—¿Qué es cuál?

—Tienes que hacer lo que tienes que hacer para sobrevivir.

—¡Claro que esa es la respuesta! —digo— Pero eso no es lo importante. Por supuesto que harán lo que tengan que hacer para sobrevivir. Vimos esto desarrollarse en Carol. Lo vimos perderse en Morgan. ¡Y eso es realmente lo que le da miedo! Morgan está convencido de que vuelve a matar, volverá a hacer lo que sea necesario para sobrevivir. Algo que su terapeuta no pudo solucionar con él. Vemos esto intensamente en Rick. Sobrevivir. ¡Claro que sí! ¿Cruzar los límites de la humanidad? ¡Casi seguro! Pero ¿a qué precio? Y esa es la pregunta. La supervivencia tiene un precio y mientras la humanidad se ha desmoronado a su alrededor, Rick y su grupo se aferran desesperadamente a los suyos. Aunque nos ha llevado seis años llegar hasta aquí, en realidad solo son dos años en su tiempo.

—¡Pero es que es justamente eso! —grita mi científico—. El cuerpo humano se descompone tras unas semanas.

—Pero no se trata de los zombis —grito—. Son geniales. No se trata de la supervivencia. Se trata de la humanidad durante el apocalipsis. Esto es como ver *Apocalypse Now* en cámara lenta. Pero, ¿en qué momento su necesidad de sobrevivir pondrá fin a su humanidad? ¿En qué momento los destrozará? ¿En un momento dado ellos también se unirán a los caníbales, violadores y lobos? ¿Pueden abrazar la supervivencia y mantener su humanidad?

Obtengo un gruñido pensativo. Lo piensa por un momento y vuelve a su novela de ciencia ficción.

Así que aquí estamos: *Zombis del espacio...y vampiros*. Tenía que dar una explicación creíble, una que mi marido aceptase... una que se mantuviese firme frente al rigor científico.

¿Y si los zombis son una raza alienígena que simplemente se parece a los zombis? ¿Y si los humanoides fuesen su fuente de alimento? ¿Y si viniesen de un planeta con una fuerza gravitatoria mucho menor y su tasa de división celular fuese excepcionalmente más rápida que la nuestra? De forma que mudaran sus cuerpos cada pocos días, pero una vez en la tierra, donde la fuerza gravitatoria es mucho más alta, su carne y su piel se desgarraran, dándoles apariencia de zombis.

Era sólido. Mi científico aprobó la teoría. Era lo suficientemente creíble para que él aceptase los zombis.

Así que tengo mis "zombis". Tengo mi apocalipsis. Pero entonces se me ocurrió algo más. ¿Cómo podría hacer esto aún más épicamente impresionante? ¡Vampiros! Y fue entonces cuando me di cuenta de que los zombis amenazarían la fuente de alimento de los vampiros. Zombis contra vampiros. Ese era el título original. Pero no podía dejar de lado ¡"Zombiiiiiis...del ESPACIO!" Aliens. Zombis. Vampiros. ¿Qué más se puede pedir?

CAPÍTULO UNO

Gotean las gotas de luz dorada en el negro de la noche.

Aria Danes, de diecinueve años, se asomó por encima de la línea garabateada en su cuaderno. La lluvia rodaba por la ventana de la casa móvil, y el naranja de la farola se reflejaba a través de las gotas que rayaban el vidrio. Aria suspiró y miró el reloj. Las dos. Su padre terminaría su turno pronto.

El restaurante siempre estaba muerto a esa hora de la noche.

"Cuesta más mantener las luces encendidas y el personal allí de lo que nunca valió", gruñía a menudo su padre. *"Mi padre presumió tener un restaurante abierto las veinticuatro horas durante cuarenta y ocho años, al igual que su padre antes que él. Y eso no iba a cambiar ahora"*.

Su padre citaba las palabras de su empleador

1

muy bien. Aria se reía y su padre deslizaba la gorra de béisbol sobre su cabeza canosa que empezaba a clarear y, dándole un abrazo a Aria, se alejaba a través del aparcamiento para ir a trabajar.

A Aria le encantaba la casa móvil. Era acogedora, ideal y práctica. Al ser solo ella y su padre y un juego constante de ruedas bajo sus pies, siempre estaban listos para marcharse... si alguna vez pudiesen ahorrar lo suficiente como para desaparecer. Su padre, Richard Danes, era un hombre corriente de cuarenta y tantos, con los pies en la tierra y trabajador. Había pasado los últimos diez años intercambiando mechones de cabello por la sabiduría que se necesitaba para criar a su pequeña familia, que siempre solamente era Aria. Su madre se había marchado hacía años y había muerto, todo antes de que Aria hubiese aprendido a extrañarla.

No se la echaba en falta ya que el señor Danes siempre estaba ahí para ser lo que fuese que Aria necesitase ese día. Su existencia era sencilla y, a los diecinueve años, todo lo que Aria quería hacer era salir de la diminuta ciudad y mudarse a lugares más grandes.

—Ve a la universidad —le gruñía el señor Danes con una sonrisa—. Sé mejor que yo.

Igualando su sonrisa, Aria siempre replicaba:

—Ya soy mejor que tú.

Antes de que pudiese discutir, Aria volvía a sus sueños a través de las canciones de su iPod.

Aria se enderezó hacia la ventana con el golpe repentino en el cristal. A través de las rayas negras y naranjas de la lluvia, su padre le sonría. Aria abrió la ventana.

—Llegaré más tarde de lo que pensaba —dijo el Sr. Danes—. El jefe quiere a todo el personal esta noche.

—¿Esta noche? —se quejó Aria.

—Dice que estará bastante tranquilo, más tarde. Es la mejor temporada.

Aria asintió abatida.

—¿Qué haces aún levantada de todas formas? —preguntó el señor danes.

Aria se encogió de hombros.

—No podía dormir.

—Bueno... —el señor Danes miró hacia el restaurante para ocultar su sonrisa—. Te pareces demasiado a tu padre.

Aria se inclinó por la ventana y besó la parte superior de su cabeza.

—Correcto.—dijo ella—. Buenas noches, papá.

La lluvia se estaba volviendo intensa de nuevo.

—No te vas a dormir, ¿verdad? —preguntó el señor danes.

—Nop —Aria le mostró su sonrisa favorita—. Me parezco demasiado a mi padre.

—Cabezota —dijo él, volviendo hacia el restaurante—. Te veré cuando haya acabado.

La lluvia había comenzado de nuevo y con toda seguridad, se avecinaba un chaparrón.

—Adiós, papá —dijo ella.

El señor Danes se despidió con la mano y, agachado bajo su abrigo, corrió a través del aparcamiento repleto hacia el restaurante.

Aria luchó con la ventana de la casa móvil, que se había atascado de nuevo. Aquella cosa siempre se estaba atascando. El viento ganó fuerza y, justo cuando Aria le pegaba un puñetazo a la ventana para desatascar el marco desalineado, un fuerte silbido atravesó la noche y la lluvia se detuvo repentinamente.

Richard Danes acababa de llegar al final del aparcamiento, donde las luces del restaurante parpadeaban. Miró atrás hacia la casa móvil. Aria se olvidó de la ventana, se asomó a través de ella y ladeó la cabeza para ver mejor el cielo. Estaba demasiado oscuro, como si alguien hubiese absorbido la luz de la luna y las estrellas. Ni siquiera el contorno de las nubes de tormenta era visible en la oscuridad.

—¿Papá? —llamó.

Estupefacto, Richard miró a su alrededor como si tratase de averiguar a dónde había ido la lluvia. Se puso una mano en la cara, atenuando la luz de la farola en sus ojos para mejorar la visibilidad.

—¿Papá? —llamó Aria— ¿Qué está pasand...?

Un agudo segundo silbido silenció a Aria. Se cubrió sus oídos, cayó hacia atrás, estremeciéndose por el sonido mientras yacía acurrucada en el suelo de la casa móvil, junto al comedor plegable.

Con la misma rapidez, el silbido estridente se detuvo y el aguacero continuó.

Aria se puso de pie y miró por la ventana. La lluvia caía como si nada hubiese estado allí momentos atrás, interrumpiendo el aguacero. Todo seguía como antes. Su padre no estaba.

—¿Papá? —llamó Aria a través de la lluvia.

Miró hacia el restaurante. Las luces se habían apagado. Estaba en silencio. Todo estaba demasiado mal. La preocupación se entrometió con sus nervios y Aria se abrazó a sí misma por el miedo que le roía las tripas.

—¿Papá?

Su pulso se aceleró con su creciente pánico mientras se dirigía a través de la casa móvil hasta la cabina del conductor. Al abrir la puerta, Aria estudió el aparcamiento para detectar cualquier señal de vida.

Se movían sombras en la distancia. Aria se esforzó para ver el movimiento ante ella, a través de la lluvia y la noche. Le siguió una especie de gorgoteo distante y antes de que Aria pudiese gritar, una especie de cosa, harapienta y coja, se arrastró por el barro. Sus brazos le colgaban a los lados como trapos.

El hedor golpeó su nariz, y mientras ella abría la boca para gritar, una mano fría la rodeó y le mantuvo la boca cerrada.

—Ni una palabra —le murmuró la voz de un hombre al oído—. Ni un solo sonido.

Sus fríos y delgados dedos acariciaron su mejilla mientras ella aspiraba profundamente el rancio olor de la muerte.

—No sabes lo que es eso, ¿verdad?

Aria asintió. Un mechón de cabello le cayó a la cara.

—¿Lo sabes? El hombre parecía sorprendido. —¿Sabes entonces que hará si te atrapa?

La cosa coja se arrastraba en dirección a Aria, que luchaba contra la mano que la sujetaba. El hombre pasó una mejilla helada contra la de ella y respiró hondo, como si olisquease a Aria.

—Nada abre el apetito como una mujer asustada —dijo.

Un repentino gruñido desde la izquierda forzó al hombre a volverse, colocándose frente a una segunda cosa con forma de hombre que se arrastraba por el barro. Sus brazos también colgaban como trapos triturados. Su hedor penetró en la nariz de Aria. De cerca a la luz de la farola, Aria podía ver los restos destrozados del cadáver podrido. Ella gritó en la mano que tapaba su boca mientras la cosa muerta se dirigía hacia Aria. Sal soltar una risa sedosa, el hombre dio un paso más, llevándose a Aria con él, justo cuando el cadáver andante se abalanzaba. Con un golpe de su brazo, una hoja voló hacia arriba y se llevó la mano del cadáver con ella. El hombre que sostenía a Aria se movió y ella se liberó.

Tropezó y corrió lejos del hombre y del cadáver que se arrastraba y se detuvo en la pared de sombras en movimiento que cojeaba hacia ella. Aún vivo, el cadáver sin brazos silbó al hombre de la espada. Demasiado asustada para moverse, miró mientras el hombre atravesaba con su espada al muerto, llevándose su cabeza con ella.

—Bien —dijo, alisando su chaleco mientras un cuerpo gruñendo detrás de Aria caía sobre ella.

Antes de que Aria pudiese ahogar un grito, el hombre estaba a su lado con su espada atravesando al cadáver. A esta distancia, Aria podía ver la perfecta y pálida piel del hombre, con su pelo espeso y negro peinado hacia atrás. Sus ojos negros, como la muerte la recorrieron de arriba a abajo. Eran unos ojos en los que Aria cayó demasiado profundo y la inmovilizaron. Y tan rápido como el hombre se había puesto a su lado, se puso sobre Aria, con los labios en su cuello.

Sintió una punzada de dolor, su cuerpo se debilitó, y cayó en los fríos brazos del hombre, mientras todo lo que la rodeaba se volvía negro.

Aria se despertó en una habitación oscura, lujosamente decorada con caoba y terciopelo rojo sangre. A pesar del dolor que la presionaba en cada articulación, Aria apartó una pesada sábana de seda a juego con el rojo y se incorporó en la cama adornada con cuatro postes intrincadamente tallados. A juzgar por el dolor de su hombro, una serie de moretones acompañaba a la presión en sus articulaciones.

Una luz naranja se desparramaba por debajo de la puerta y a través de la alfombra. Unas voces lejanas en la habitación contigua desafiaban al silencio. Aria se levantó de la cama de un salto. Mientras dormía, alguien la había vestido con un camisón largo que le llegaba a los pies descalzos. A pesar de la falta de cadenas o barrotes, estaba segura de que no era libre. Aria se arrastró hacia la puerta.

—¿Qué noticias hay?

Aria casi abrió la boca para responder cuando una segunda voz, suave como la primera, la interrumpió.

—Se han posicionado globalmente... estratégicamente, por lo que parece.

La segunda voz mantenía un toque de preocupación. En silencio, Aria se acercó, desesperada por oír cada palabra, a pesar de que no hacían el menor intento por hablar en privado.

—¿Y su avance? Era la voz del espadachín que la había sujetado antes en el restaurante.

—Ya han aniquilado a los gobiernos, sus ejércitos y los medios de comunicación.

—Líderes, defensas, comunicaciones... todo en un solo movimiento —murmuró el espadachín.

—En una sola noche por lo que parece. Se están

haciendo con todo —dijo la otra voz—. La mayoría de las ciudades ya han sido invadidas. Otras han sido eliminadas por completo.

Hubo una pausa mientras el silencio se imponía.

—¿Cuánto tiempo? —preguntó el espadachín.

—¿Si los dejamos a la suya? —Aria se imaginó un derrotado encogimiento de hombros que no podía ver —. Unas pocas semanas. Un mes quizá. Depende de lo proactivos que decidan ser los humanos.

—Humanos —bufó Aria, luego contuvo la respiración.

—¿No queda nadie? —dijo el espadachín—. ¿Ha tomado alguien la decisión de marcharse?

—Por lo que parece, no han tenido tiempo —dijo la segunda voz—. Ya no queda nada. Los Weeches fueron meticulosos.

Aria no tenía ni idea de lo que eso significaba, pero la preocupación enfermiza que había sentido en el restaurante volvió más fuerte que nunca.

—Eso no nos deja muchas opciones —dijo el espadachín. Había un tono derrotista en su voz—. Reúnelos.

—Sí, mi señor.

Aria se mordió el puño. A pesar del aluvión de preguntas y la confusión, estaba bastante segura de que "ellos" quería decir humanos, y estaba doblemente segura de que quienes fueran, o lo que fuesen "ellos", eran los cuerpos en descomposición que la habían rodeado.

—Sal —la llamó el espadachín—. Sé que has oído cada palabra.

Tomando la decisión de mantenerse firme, Aria empujó la puerta que se abría a una lujosa sala de estar. La rica caoba y el terciopelo rojo sangre continuaban en esta habitación.

Una tumbona roja descansaba como pieza central ante una chimenea crepitante encajada en piedra. A pesar del número de candelabros, apliques de pared, y velas, solo unos pocos estaban encendidos. Las mesas de sofá, lujosamente talladas, se alineaban en las paredes de las que parecían gotear cortinas de terciopelo.

Qué extraño, pensó por la obscena falta de luces eléctricas.

El espadachín estaba de pie al lado del extremo de la tumbona. Detrás de él, un par de puertas altas se elevaban hacia el techo: la puerta de su celda. Aria miró otra vez a su anfitrión. El par de ojos negros le devolvió la mirada. Con una tez perfectamente pálida, Aria podía ver claramente a su captor. Su pelo negro estaba alisado hacia atrás y caía largo por su cuello. Era alto y delgado, pero a todas luces fuerte... y poderoso. Ella no tenía ninguna duda sobre el poder contenido dentro de su cuerpo. Eso se notaba del todo desde dónde él estaba de pie. Aria calculó su altura completa en unos pocos centímetros más de un metro ochenta y dos. Se imponía sobre su propio metro sesenta y dos.

—¿Dónde está mi padre? —preguntó Aria, directa a la única pregunta que le importaba.

—¿Tu padre? —repitió el espadachín.

—Mi padre. Las palabras de Aria estaban peligrosamente cercanas a gritar, pero se contuvo. No iba a mostrarle ninguna emoción. Ya había decidido que él no lo merecía.

—Por mi vida, de verdad que no lo sé —respondió demasiado cortésmente.

Aria decidió no forzar el tema por el momento.

—¿Qué quieres? —preguntó, forzando la pregunta.

—Unas pocas cosas —respondió él, y luego se detuvo, tomándose un momento para mirarla de arriba a abajo.

Reprimió visiblemente una sonrisa, la evaluó como si decidiese si valía la pena comerla con los ojos.

—Tu pregunta es vaga —respondió finalmente.

—¿Quién eres? —preguntó Aria, ligeramente molesta por su admiración

—Eso está mejor. —Dejó que una sonrisa completa ensanchase su boca mientras sus ojos brillaban satisfechos—. Soy Caius.

—¿Por qué estoy aquí?

—Te he traído yo —dijo Caius como si le hubiese hecho un favor.

—¿Qué eran...? —dijo Aria vacilando. Todas las palabras que le venían a la mente eran ridículas. Completamente estúpidas.

—¿Zombis? —terminó Caius por ella.

—Oh, no lo digas —gimió Aria. La situación al completo era ridícula. Hizo una mueca, el primer signo de emoción desde que se había despertado. Pensándoselo mejor, se increpó a sí misma y reordenó sus ideas.

Caius se rio entre dientes.

—No del todo zombis, pero lo parecen, ¿verdad?

Aria se quedó mirando con una desaprobación que apenas mantenía bajo control. Nada de esto la divertía y no estaba de humor para juegos.

—Lo que has visto era una invasión —dijo Caius, rodeando la tumbona. Se acomodó en el sofá. Cruzó las piernas, apoyando su brazo sobre la parte posterior de la tumbona—. La primera de muchas. Mientras dormías, han aterrizado casi cincuenta más.

—¿Aterrizado?

—Vuestra raza está siendo exterminada.

La sangre de Aria se le bajó del cerebro y sintió que se desmayaba.

—P... —no podía hablar.

—Siéntate —dijo Caius, señalando el sitio al lado de él—. No has comido en días.

—¿Días? —Aria centró su atención de nuevo en Caius—. ¿Cuánto tiempo he estad...?

—Tres días, Aria.

—¿Cómo sabes mi nombre?

—Debes tener hambre.

Al mencionar la comida, Aria notó el dolor en su

vientre y lo pequeño que sentía su estómago. De acuerdo con la curvatura de su estilizado torso, calculó que habría perdido al menos cinco kilos en los últimos días.

—Haré que traigan algo de las cocinas —dijo Caius levantándose del sofá.

—¿Dónde estoy? —preguntó Aria.

—Estás a salvo.

—Me voy. —anunció Aria, y escogiendo el camino más corto a las puertas, pasó rozando a Caius.

Había dado un total de dos pasos antes de que él la alcanzara y la sujetara. Aria no tuvo tiempo de responder. Caius estaba cerca, con la boca en su cuello.

Su aliento le rozaba la oreja.

—Las cadenas y los barrotes no te retienen porque no los necesitamos —dijo susurrando con el labio rozándole la oreja.

Aria se quedó helada, y al hacerlo, comprendió. El poder que había sentido en Caius no era una mera ilusión. Lo sentía en sus brazos. Podría partirla en dos sin ningún esfuerzo, y muy poco le impedía hacerlo. Ella dudaba que sintiese remordimientos por el acto. Si Caius quisiese, nada le impediría tomarla. Eso quedó muy claro cuando le dio un suave beso en el borde de la oreja, aún sujetándola por la cintura, permitiéndola dar un paso atrás.

Permitiéndola

—Tienes mucho que aprender, Aria —susurró Caius—. Xavier.

Aria permaneció inmóvil cuando Xavier abrió una de las enormes puertas que la aprisionaban.

—Haz que las cocinas preparen algo para Miss Danes —dijo Caius. Su petición era educada y amable porque, Aria estaba segura, no tenía que ser otra cosa. Escuchó la misma complacencia en la voz de Xavier que antes.

—Mi señor. Xavier se inclinó y cerró la puerta detrás de él.

Aria miró el rostro de Caius y estudió el inhumano vacío que había en él.

—Tu corazón es negro —dijo Aria—. Lo veo en tus ojos.

Caius sonrió con orgullo, como si ella lo hubiese conquistado. Antes de que Caius pudiese responder, Aria apartó su mirada de Caius y volvió a su habitación cerrando la puerta que había entre ellos de un portazo.

La habitación era oscura y sombría. Incluso el fuego en la chimenea parecía frío, a pesar de las llamas naranja que bailaban en la habitación.

—Vale, esto da un poco de temor —murmuró Aria, mirando a las cortinas rojas, las sábanas a juego, y las alfombras de felpa tan rojas como el carmesí de la sangre.

Se abrazó, frotándose los brazos mientras una de las gruesas cortinas se movía. Aria se detuvo un momento y luego se giró hacia la ventana abierta escon-

14

dida detrás de la cortina. La abrió y se quedó sin aliento.

La ventana era, de hecho, un conjunto de puertas francesas de vidrio que quedaban abiertas hacia un balcón de piedra. Aria salió a la terraza. Desde la terraza, podía ver exactamente lo que era su prisión: un castillo gótico completo con parapetos de piedra almenados, enclavado en una isla en algún lugar.

La noche cubría el mundo en un hermoso negro, a excepción de la luna allá arriba, tan clara, perfecta, y completa como siempre. Más adelante había un río tan ancho como para ocultar el horizonte por detrás de las sombras. Las sombras que se movían. Aria centró su atención en la línea oscura a la distancia y entonces se quedó sin aliento, con la mano en la boca. Allí, más allá de lo abstracto de la imaginación, Aria podía ver el movimiento perezoso de cada zombi. Hasta donde le alcanzaba la vista, millones vagaban como un cáncer infeccioso que se había filtrado sobre la tierra y se había extendido.

Un terrible estruendo sacudió a Aria del horror y se giró a tiempo para ver a una mujer pequeña con un vestido inglés del siglo XVIII. Estaba peligrosamente delgada, rozaba la torpeza mientras enderezaba una bandeja de plata cargada con lo que parecía ser el aderezo de una opulenta comida. Ternera salada, vino tinto, quesos curados, y frutas adornaban la bandeja. Sin embargo, perdió el apetito cuando una mano fría y suave tocó su hombro. No necesitaba verlo para saber que Caius estaba detrás de ella.

—Déjanos, chica —la sedosa voz de Caius recorrió su columna vertebral.

Aria se movió para dar paso mientras la criada inglesa se marchaba a trompicones. Cerró las puertas tras ella con mucha prisa, como si le diese miedo apartar la mirada del suelo. Aria se volvió hacia Caius.

—He hecho que te traigan una bandeja. —su voz era exageradamente suave.

—¿Esperas que te dé las gracias?

—Estaría bien —ronroneó.

—Gracias —se burló ella.

—De nada. —dijo Caius sonriendo.

A la luz de la luna, como la había ahora, podía distinguir muy fácilmente las finas filas blancas de sus dientes, y los caninos excesivamente pronunciados que solo eran visibles con una sonrisa completa.

Aria sacudió la cabeza con una risita divertida.

—¿Qué pasa? —preguntó Caius inclinando la cabeza.

—No puedes esperar que me crea... —Aria señaló hacia la ventana.

—¿Los zombis? —terminó Caius por ella.

—Uf. —Aria sintió que tanta estupidez le revolvía las tripas—. Y que tú... —miró a Caius hacia arriba y luego hacia abajo.

En general, era bastante agradable a la vista. Se

habría visto coqueteando descaradamente si no hubiese estado tan preocupada por su padre o por el hecho de que estaba de pie en una parodia de Drácula del siglo XVII, y una muy convincente, además. No estaba segura de lo que estaba tratando de decir.

—¿Y qué soy yo? —preguntó Caius.

—No tengo por qué responder a eso —dijo Aria.

Caius inhaló y dio un paso hacia Aria, quien alzó la cabeza desafiante. Se negaba a amilanarse.

Todo lo que tiene que hacer es moverse, y te puede destrozar. Repitió el mantra mientras estaba de pie. Estaba tan cerca que podía oler su dulce aroma y sentir el poder que albergaba, tan cerca que su barbilla casi rozaba su pecho.

—Eres bastante guapa —susurró Caius, y deslizó un dedo bajo su mandíbula.

Aria lo apartó de un manotazo.

—Si no te importa, se me está enfriando la cena —dijo Aria.

—Igual que la mía.

Aria se quedó tiesa.

—Puedo esperar —dijo Caius, dirigiéndose a la puerta—. No me haré viejo esperando.

Cerró la puerta tras él con una sutil inclinación, como para desearle buenas noches.

CAPÍTULO DOS

Aria corrió hacia la puerta y tiró del picaporte. Estaba convencida de que estaba bloqueada, tropezó un poco cuando se abrió de golpe. Recuperó el equilibrio y asomó la cabeza en la sala de estar. Caius se había ido.

«*Claro que lo ha hecho*», reflexionó.

Aria cerró la puerta, sin dudarlo. Con lo rápido que podía moverse, estaba segura de que estaba observando. Si iba a escapar, tendría que ser bien planificado. Pensado. Cuidadosamente trazado.

—Oye.

Aria estuvo a punto de escaparse de su pellejo y se volvió hacia una mujer que se recostaba muy cómodamente en un armario empotrado en las sombras, contra el muro de piedra.

Las tinieblas enmascaraban casi toda su presencia, pero no lo suficiente para que Aria no pudiese ver la esbelta figura envuelta en cuero negro muy ajustado. Unas botas de cuero pulidas alcanzaban sus rodillas, y su exuberante cabello castaño teñido de púrpura y con las puntas de un azul tenue, acariciaba sus caderas.

La mujer agarraba afectuosamente una botella con una manicura elegante que dejaba a la vista sus uñas pintadas de negro. Su brillo era llamativo en la sombra tocada por destellos de luz de luna, mientras inclinaba la botella hacia atrás para tomar un trago.

Por el olor, Aria estaba segura de que estaba bebiendo un Merlot.

—¿Quién eres? —preguntó Aria.

—Llámame Cin —dijo, colocando el tapón en la botella y metiéndola casualmente en su bota.

—Cin —repitió Aria—. ¿Eres una de ellos? —preguntó Aria en un tono un poco más sarcástico de lo previsto.

Cin se deslizó hacia abajo desde los armarios.

—Difícilmente —dijo—. No.

—¿Qué son? —preguntó Aria—. ¿Dónde estoy? ¿Sabes dónde está mi padre?

—Vampiros, o lo más parecido a lo que llamarías vampiros, el río San Lorenzo, y no. No sé dónde está tu padre —dijo Cin.

Sin prestar atención a las dos primeras respuestas, los hombros de Aria se desplomaron. Hundió sus manos en sus ojos y apartó las lágrimas que allí le ardían.

—¿Estás bien? —preguntó Cin.

—Yo no... —Aria se estaba quedando sin poder entrar más en shock.

Sintió que su fuerza flaqueaba y, cuando su cuerpo comenzó a temblar, comenzó a llorar. En cualquier momento se caería al suelo a lloriquear.

—Oye —dijo Cin, silenciando suavemente a Aria —. Estás bien. Ten.

Cin sacó una segunda botella del interior de su chaqueta de cuero púrpura y negra. Al aceptar la botella, Aria echó un trago largo, esperando el cuerpo seco y grueso del Merlot.

Un momento después, estaba encorvada en mitad de un ataque de tos.

—¿Qué...? —más tos la interrumpió—. ¿Qué es esto?

—Absenta —dijo Cin.

Después de un momento, la tos de Aria se calmó lo suficiente como para poder ponerse de pie otra vez.

—¿Mejor? —preguntó Cin.

Aria asintió con una tos final.

—Bien. ¿Lista para marcharte?

—¿Marcharme? —preguntó Aria mientras Cin caminaba hacia la terraza.

—A menos que quieras quedarte aquí —Cin hizo una pausa, como si no estuviese segura de lo que quería Aria—. ¿Quieres?

—No —dijo Aria.

—Bien, entonces. Por aquí.

Aria siguió a Cin a la terraza y miró hacia abajo, donde una larga cuerda de nylon estaba asegurada con algo que se parecía a un equipo de escalada. Aria estudió el sistema de cuerdas con reservas.

—Tenemos a un tío que trabaja para nosotros. Esta es una de sus propias creaciones. Puñeteramente impresionante si quieres mi opinión.

Aria asintió con la cabeza y escuchó las instrucciones que Cin le daba mientras aseguraba el sistema de poleas a su cintura.

Cin lideraba el camino y Aria la seguía.

—Patea y desliza —dijo Cin.

Aria asintió.

—Patea y desliza.

Cin ya estaba de camino hacia abajo. Un momento después, sus pies tocaron el suelo.

—¿Lista?

Aria tomó una respiración profunda.

—Enseguida.

Una mano fría se estampó contra Aria, sosteniéndola allí en la terraza. Ahogó un grito y miró a los ojos de Caius.

—¿Vas a alguna parte?

—¡Aria, suéltate! —gritó Cin.

Pero Caius tenía los dedos enredados en el pelo de Aria.

—¡Aria! —gritó Cin.

Antes de que Aria pudiese gritar, Caius estaba sobre ella. Sus dientes se hundieron en su cuello. Aria luchó contra una oleada de sueño borroso mientras su agarre se relajaba en la cuerda.

—Mierda —dijo Cin desde el suelo—. ¡Aria, suéltate!

Pero Aria ya estaba inconsciente y dormida en los brazos de Caius.

Sacando un pequeño artilugio de su cinturón, Cin agitó su muñeca y el artilugio se desplegó en lo que parecía el juguete volador de un niño. Cin lanzó el dispositivo. Impulsado por la mecánica interna, llegó hasta la terraza. El equipo de los escaladores se liberó del balcón en el mismo momento en que el dispositivo lanzab una descarga de electricidad que alcanzó el pecho de Caius y lo retuvo ahí.

Llorando de dolor, Caius liberó a Aria y ella cayó.

—¡Aria! —gritó Cin, viendo a Aria caer de la terraza.

Antes de que pudiese moverse para detener la caída de Aria, un oscuro destello sacó a Aria del aire.

De pie, al lado de Cin, una mujer vestida de negro sujetaba a Aria. Las medias de rejilla rozaban sus piernas entre las botas de cuero con tacón de plataforma y la minifalda de cuero. La mitad inferior de su cabello negro había sido teñido con un rojo tan profundo que su cabello parecía gotear sangre. Sus labios negros se separaron con una sonrisa tímida, haciendo que su piel, bellamente fría, fuese más pálida.

El delineador de ojos oscuro realzaba la picardía de su mirada cuando Aria comenzaba a despertarse, todavía en estado de confusión.

—¡Kylie! —llamó Caius desde la terraza—. Tráela aquí.

Kylie soltó una risotada divertida.

—Oblígame —dijo, ganándose un gruñido sordo de Caius.

—Ten —dijo Kylie pasándole a Aria a Cin.

—¡Kylie! —gritó Caius.

Kylie le mostró un dedo elegantemente manicurado a Caius. Su esmalte negro atrapaba la luz de la luna.

—Retrocede, Kylie —advirtió Caius.

—Métetelo por donde te quepa —dijo Kylie.

Mientras Cin ayudaba a Aria a encontrar el suelo bajo ella, hubo un destello desde el balcón y, ahogando un grito, se preparó para un golpe que nunca llegó. Detrás de ella estaba Kylie de pie, la única barrera entre Cin y Caius. El brazo extendido de Kylie empujaba contra él.

—Vigila tus flancos, hermanita —dijo Caius.

—Vigila los tuyos.—gruñó Caius—.

—Será mejor que te vayas —le dijo Kylie a Cin—. Si se enfada lo suficiente no podré detenerlo.

Mientras Cin comenzaba a alejarse con Aria, Caius intentaba pasar alrededor de Kylie, pero Kylie se movía demasiado rápido. Sus manos se estrellaron contra el pecho de Caius, lanzándolo por los aires varios pies hacia atrás. Recuperó el equilibrio y se preparó para intentarlo de nuevo, pero en el rato que le llevó a Caius recuperarse, Cin y Aria se habían ido.

—¡Mujerzuela! —dijo Caius, levantando la mano para pegar a Kylie. Ella cogió su puño.

Kylie sonrió mientras Caius rechinaba los dientes.

—Nunca debí hacerte volver —dijo.

—No —dijo Kylie—. No debiste.

Caius retiró su mano.

—Podría haberte matado aquí —la amenazó.

—No —dijo Kylie—. No puedes o lo habrías hecho hace años.

Sin decir una palabra más, Kylie se dirigió hacia los jardines, lejos del castillo y de Caius.

—Crúzate en mi camino otra vez, Kylie, y no sobrevivirás al día.

Kylie comenzó a silbar una melodía de su propia creación.

—¡Hay más maneras de matar a una inmortal que se niega a morir!

—Ya veremos —dijo Kylie, sin molestarse en mirar hacia atrás.

—¡Puta! —gritó Caius.

Kylie le dirigió un saludo indiferente desde los jardines, con sus uñas manicuradas y su brillo negro atrapando la luz de la luna.

CAPÍTULO TRES

Cin dejó caer a Aria en el pequeño bote de remos que se mecía sobre el agua. Tomó un remo, empujó contra la tierra y puso el bote en movimiento alejándolo de la isla.

Aria se agitó, haciendo una mueca mientras se movía incómodamente en el bote.

—Tranquila —dijo Cin.

—Estoy... —trató de responder Aria.

—Estamos a salvo ahora —dijo Cin.

—¿Dónde estamos...?

—En el Minnow —dijo Cin.

—Vamos a... —aclaró Aria.

Cin le dirigió una sonrisa alegre y sacó un frasco de su bolsillo trasero antes de pegar un trago.

—A un lugar seguro —dijo Cin.

El barco se abrió camino aguas arriba, atravesando la niebla de la noche. Aria abrazó sus rodillas contra su pecho, su atención se fijaba únicamente en los cadáveres que caminaban perezosamente a lo largo de la orilla del río.

—¿Qué son? —dijo Aria.

—Son zombis —dijo Cin, medio sonriendo.

Aria le frunció el ceño a Cin.

—No, quiero decir... en realidad.

Sonriendo, Cin llevó su botella a su boca.

¿Qué pasó? —preguntó Aria.

Otro largo trago.

—¿A ti que te parece? —preguntó Cin al fin.

Aria miró a través de la niebla a una colección de cadáveres encorvados, turnándose para tirar de la carne de una mujer que gritaba. Aria hizo una mueca mientras Cin daba otro trago.

—¿Cómo me encontraste? —preguntó Aria.

Cin se encogió de hombros.

—¿Sabes algo?

Cin no pasó por alto la nota en el tono de Aria.

—Sé mucho —dijo Cin—. Simplemente no creo que yo sea quien deba explicártelo, ni que un barco en mitad del río Saint Lawrence sea el mejor lugar para darte la noticia.

Aria miró fijamente a la orilla y observó el recorrido de los cadáveres río arriba. Los gritos las acompañaron durante toda la noche mientras la luna llenaba el cielo. Las sombras se espesaron. De vez en cuando, Cin daba un empujón con el remo, permitiendo que la corriente los llevara.

El suave movimiento contra el barco sumió a Aria en un soporífero descanso; la compostura de Cin se iluminó.

—Allí —dijo Cin señalando hacia adelante.

Aria siguió el entusiasmo de Cin y se quedó boquiabierta ante el gran navío que se encontraba delante.

—¿Un bote? —dijo Aria.

Cin se rio entre dientes.

—No dejes que la Capitana te oiga llamarlo bote.

—¿Capitana? —dijo Aria, y Cin sonrió.

—Yarr, la capitana. Ella es un barco —dijo Cin—. Y se llama HMS Cerebro Granizado.

Se acercaron al barco. Los ojos de buey de babor ardían de color naranja. A bordo, Aria podía distinguir la ocasional linterna que parecía estar balanceándose en la cubierta. Cuanto más se acercaban al barco, más se despejaba la niebla hasta que Aria pudo distinguir una silueta negra. Las coletas que enmarcaban una cabeza quedaban empequeñecidas por el lanzacohetes posado casualmente en un hombro. La sangre se bajó de la cara de Aria cuando el chasquido de chicle rosado rompió el silencio.

—¿Qué es lo que tenemos a bordo de la cubierta esta noche? —dijo una voz desde la cubierta.

—Solo un cerebro granizado relleno de piratas, priva, y el punto amargo de la pólvora negra.

La chica bajó el lanzacohetes mientras el bote se acercaba. La linterna oscilante arrojaba ocasionalmente una luz sobre una mujer que lucía un largo conjunto de coletas rubias y rosadas.

Cin sonrió a la mujer vestida como un niño católico, que hizo explotar una burbuja rosa. Sonriendo al Minnow, dijo una palabra.

—Alucibolas.

—¡Hola, Stani! —dijo Cin sonriendo a la cubierta donde la mujer con las coletas rubias y rosa estaba de pie, con el lanzacohetes aún descansando en su hombro.

—La capitana ha estado preocupada por ti, Cinders —dijo la mujer.

—Dile que se tome una Guinness y se relaje —dijo Cin—. Estaré allí enseguida. Ayúdame a subir a Aria a bordo.

La mujer en cubierta lanzó una escalera de cuerda. Cin usó la escalera, y puso el bote paralelo al barco.

—Sube —le dijo Cin a Aria, que se puso de pie demasiado rápido y sacudió el pequeño bote de manera muy violenta.

—Aguanta —dijo Cin, agarrando el brazo de Aria para estabilizarla—. De todos los ríos que hay para nadar, este es en el que menos te debería apetecer. —

Cin le pasó a Aria la escalera de cuerda—. Espera. Sube tú primero. Stanushka estará allí para recibirte.

Aria miró a Stanushka justo cuando su chicle reventaba. Stani apretó los labios, tirando del chicle de nuevo, metiéndolo en su boca, y masticando encantada mientras sonreía hacia Aria.

—Vale —dijo Aria, y comenzó a subir por la escalera.

—Ten —dijo Stani, bajando el lanzacohetes a su lado. Bajó la mano y tomó la de Aria.

—Bienvenida a bordo del HMS Cerebro Granizado, Aria —dijo Stani—. Te va a encantar esto.

Cin se tiró de la barandilla y bajó a la cubierta con facilidad.

—¿Bebes? —preguntó Cin.

—¿Qué? —preguntó Aria volviéndose hacia Cin, que ya estaba sacando una petaca de su otra bota.

—Ten.

Aria sacudió la cabeza mientras Cin echaba un trago.

—Lo necesitarás. ¿Dónde está la capitana, Stani?

—Con los chicos —dijo Stani—. Por aquí.

Solo cuando Stani se agachó para recuperar una segunda arma que descansaba en la cubierta, Aria vio la pistola de llave de chispa de cañón largo escondida cariñosamente al costado de Stani, junto con una Dillinger encajada en su bota de cuero que acababa en sus muslos.

—¿Para qué tanta artillería? —murmuró Aria a Cin.

—¿Hm? ¿Stani? Stanushka adora las armas de fuego —dijo Cin—. ¿No, Hawaii?

—¡Sí! —dijo Stani.

Aria estudió el arma en la mano derecha de Stani.

—¿No es la llave de chispa un poco lenta para estos tiempos?

—Vigila tu boca —dijo Stani con una mirada severa sobre su hombro —No es una llave de chispa común —dijo, y guió a Aria y Cin a través de la puerta bajo la cubierta superior.

Oculta bajo la cubierta superior, una cálida y acogedora luz llenaba una habitación pequeña, pero acogedora, que hacía las veces de cocina, comedor, y sala social a la vez. Todos los ingredientes de una cocina se alineaban en la pared más alejada donde una mujer baja, vestida con un vestido blanco, tiara y sombrero pirata, se encorvaba mientras revisaba la nevera.

En el lado opuesto de la nevera, un escandinavo alto, muy bien vestido con cuero y espadas que le caían del cuerpo, descansaba su brazo en la puerta abierta de la nevera. Su cabello largo caía más allá de sus hombros, y la barba le hacía parecer un guerrero salido de las páginas de *Beowulf*. La gran espada a su espalda y la cimitarra a su cintura contribuían a su apariencia de guerrero sueco. Unos hombros anchos y brazos enormes demostraban el uso constante de su hoja.

Un hombre alto de manos finas estaba sentado a la mesa. Jugueteaba con algo que parecía relojería, se sentaba encorvado, ignorando todo lo demás en la habitación. Su único pendiente captó la luz mientras hacía una pausa para ajustar su monóculo. Deslizó su mano en uno de los bolsillos escondidos en su colorido chaleco dorado y retiró algo tan diminuto que Aria no pudo identificarlo.

—Hola —El escandinavo sonreía desde la nevera—. Soy Norry.

—¿Dónde está mi Guinness? —gritó la mujer en la nevera.

—Te la bebiste, Ange —dijo Norry, luego le sonrió a Aria, como si estuviese orgulloso—. Ella es la Capitana. Esta es nuestra capitana.

—No lo hice. Te la tom...

Aria se apoyó en el respaldo de una silla.

—Te bebiste la última botella —dijo Norry.

Un malestar creció en Aria. Su cabeza giraba más que nunca.

—Chicos —dijo Stani.

Norry y Angela miraron a tiempo para ver a Aria comenzar a caer y Norry saltó, atrapándola justo antes de que ella golpease el suelo.

—¿Cuándo fue la última vez que comió? —preguntó Angela, olvidándose de la bebida.

Aria sujetó su cabeza, incapaz de estabilizar sus

nervios. La habitación estaba girando, agitando su estómago.

—Te bebiste mi Guinness —le gritó Angela de repente a Norry—. ¡Te la puedo oler!

—Yo no...

Aria se sentó y vomitando, bañó a Norry de lo que salía de su interior. Lo último que escuchó antes de desmayarse fue la risa de Angela.

CAPÍTULO CUATRO

La cabeza de **A**ria martilleaba con cada crujido. La consciencia volvió a ella cuando notó el aroma a canela en el aire cálido. Aria se movió. Las últimas horas, días o semanas, finalmente le pasaron factura y cada articulación le gritaba en protesta. El sabor del vómito permaneció en su boca mientras intentaba sentarse en la habitación oscura.

—Poco a poco.

Aria se volvió hacia la voz suave y fue recibida por la brillante sonrisa de Stanushka.

—¿Dónde estoy? —preguntó.

—Bajo la cubierta. Me disculpo por ellos —dijo Stani, poniendo los ojos en blanco como avergonzada —. La capitana tiende a olvidar que hay otros que no están acostumbrados a los zombis...

Dejando caer su palpitante cabeza otra vez sobre

la cama, Aria soltó un gemido.

—¿No te gustan los zombis? —preguntó Stanushka.

Aria se estaba sintiendo enferma de nuevo.

—No —Aria frunció sus labios. Una ola de lágrimas le quemó los ojos.

—Oye —la calmó Stani con una voz de canto—. Estás bien.

Aria temblaba mientras lloraba en silencio.

—Lo sé... —dijo Stani, frotando el brazo de Aria —. Es mucho que asimilar al principio.

—¿Qué...? —Aria tomó una respiración profunda —. ¿Qué pasó?

—Te enfermaste, entonces te desmayaste, y...

—No. —Aria golpeó la cama—. ¿Qué sucedió?

—Oh. —los hombros de Stani cayeron mostrando comprensión—. Sí, supongo que no hemos hecho un buen trabajo explicando las cosas.

Aria miró el techo mientras las lágrimas corrían por su rostro.

—Estamos siendo invadidos —dijo Stani—. O bueno... hemos sido invadidos.

Aria se volvió hacia Stani, con la boca abierta por el shock.

—Hace un año, la Oficina de Asuntos del Espacio Ultraterrestre, u OAEU, recibió comunicaciones de una fuente alienígena no identificada,—dijo Stani.

—¿Alienígina no identificado? —repitió Aria—. ¿Hace un año?

Stani asintió con la cabeza.

—Sí.

—¿Y no se lo dijeron a nadie?

—Pánico global, terror, caos, fanáticos religiosos, apocalipsis... ¿lo harías tú?

Aria volvió su mirada al techo.

—La OAEU lo mantuvo en secreto —dijo Stani —. El público. La prensa. Los cuerpos de gobierno... —Stani sacudió la cabeza—. Nadie sabía nada acerca de los Weeches, excepto la Oficina de Asuntos del Espacio Ultraterrestre.

—Extraterrestres—repitió Aria.

—Weeches —dijo Stani.

—Weeches.

—Lo que crees que son zombis, no son zombis en absoluto. Son una raza alienígena llamada Weeches.

—Por supuesto que lo son —dijo Aria.

—Es mejor si piensas en ellos como Weeches — dijo Stani—. Cuando llegaron los Weeches, la OAEU mantuvo las cosas en secreto y sugirió un plan que preparase al público para su revelación. A los Weeches les encantó la idea y la OAEU financió la Misión a Marte a través de la NASA, que planeaban usar para la revelación Weech.

—Revelación Weech —murmuró Aria.

—Las cosas parecían ir según lo planeado. La revelación programada estaba a semanas de distancia. Los hombres habían dado sus primeros pasos en Marte cuando uno de los empleados de la OAEU se tropezó con el auténtico plan de los Weeches. Las comunicaciones y las negociaciones eran todas una estafa. Mientras la OAEU bailaba como títere, centrada en acuerdos comerciales, negociaciones y la Misión a Marte, los Weeches estaban organizando una invasión a gran escala, oculta bajo la apariencia de paz y amistad. Para cuando la OAEU se enteró de todo esto, los Weeches habían llegado. Se apoderaron de todo antes que nadie supiese nada. Comenzaron con las bases militares de todo el mundo, los medios de comunicación y todos los órganos de gobierno. Los civiles se quedaron sin defensas, sin líderes, sin comunicaciones, y sin advertencia de que esto iba a venir... o incluso de que hubiese llegado una raza alienígena.

—Se deshicieron de nuestras milicias organizadas —dijo Aria mientras las palabras penetraban en ella.

—Y todas las comunicaciones. Televisión, noticias, emisoras completas...

—El poder de los medios —susurró Aria.

—Al tener conocimiento —dijo Stani. Para cuando el gobierno se enteró de la invasión, los medios de comunicación y las milicias habían desaparecido.

No tenían forma de advertir al público o prepararlos —dijo Aria.

—O protegerlos,—dijo Stani.

—Éramos patos de feria.

La cabeza le dio vueltas a Aria al tratar de imaginar a los cadáveres ambulantes como capaces de

establecer una operación discreta y encubierta. —
¿Cómo podría algo como eso colarse en ninguna
parte?

—Esos no son exactamente los Weeches —dijo
Stani.

—Bueno, entonces, ¿qué son? Aria se sentó y giró
sus piernas alrededor para que sus pies tocasen el
suelo.

—No estamos muy seguros —dijo Stani—. La
OAEU cayó antes de que su departamento de investi-
gación llegase tan lejos.

—La OAEU —dijo Aria—. Si cayó, ¿cómo sabes
todo esto?

—Tenemos a un miembro del equipo de la
OAEU, —dijo Stani—. El profesor continúa lo que
comenzó con la OAEU.

Aria suspiró.

—El profesor piensa que son una especie de sol-
dado de pie responsable de la cosecha en nombre de
los Weeches. O tal vez sus guerreros... Tal vez tengan
realmente ese aspecto. Simplemente no tenemos suficiente información todavía —dijo Stani.

—¿Quiénes sois vosotros? —preguntó Aria.

—Solo un grupo de... bueno... somos una especie
de conjunto...

—Un embrollo —dijo Angela, cortando a Stanushka. La capitana estaba de pie con una manzana
en la mano, en la base de las escaleras—. Una masa
confusa. Lo siento, hemos empezado fuerte —dijo

Angela, entregando la manzana a Aria que aceptó la fruta. Después de unos cuantos bocados grandes, la manzana había desaparecido—. Estamos apañando algo en las cocinas para ti. ¿Te encuentras mejor?

Aria asintió.

—¿Cuándo fue la última vez que comiste algo? —preguntó Angela.

—La noche en que mi padre...

Un nudo se detuvo en las palabras de Aria y se clavó el puño en la frente.

—¿Qué pasó la noche en que perdiste a tu padre? —preguntó Stanushka.

Aria pensó en esa noche.

—Estaba lloviendo —comenzó—. Diluviaba, en realidad. Entonces se detuvo... de repente como... —Aria sacudió la cabeza—. Como si algo detuviese la lluvia. Hubo un silbido. Era tan fuerte... me dolía muchísimo, me caí. Cuando miré por la ventana, estaba diluviando de nuevo, pero... mi padre había desaparecido.

—¿Y no viste a nadie? —preguntó Angela.

Aria sacudió la cabeza.

—¿Cómo terminaste en Singer Island?

—Singer... —Aria se detuvo.

—Singer Island —repitió Angela—. Sí. Con Caius y su clan.

—¿Quién...? —Aria pensó en la noche en que había conocido a Caius. Realmente no tenía idea de cómo había llegado hasta allí cuando se despertó o ni siquiera dónde estaba—. No lo sé —dijo—. Después de que mi padre desapareciese, estaba sola... pero los... Weeches llegaron y... Estaría muerta si el...

Aria no podía decir la palabra. "Vampiro" sonaba tan ridículo como "zombi".

—Caius estaba allí —continuó—. Él me salvó.

—Él no te salvó —dijo Angela—. Estaba protegiendo su cena.

Aria abrazó su estómago, deseando que dejase de dar vueltas.

—He estado en Singer Island —dijo Aria—. Una vez. Hace años. Estaba lleno de turistas y novias. No Drácula.

—Lo mismo da —dijo Angela—. Cuando los Weeches nos invadieron, Caius se mudó y limpió la casa. Creemos que le gustaba el aspecto gótico del lugar. Lo hacía sentir como en casa.

—Yo no... —Aria dejó caer la cabeza en sus manos —. ¿Entonces Caius vino con los Weeches?

Angela y Stanushka intercambiaron una mirada.

—Tal vez deberíamos ver si la cena está lista —dijo Angela—. ¿Stani?

—Capitana.

—Vamos a mostrarle las botas.

—¡Botas! —chilló Stani. Estaba de pie en un momento. Su arma colgaba cariñosamente a su lado—. ¡Oh! ¡Aria! ¡Te va a encantar esto! ¡Vamos a sacarte del vestido de la abuela y meterte en un poco de cuero!

CAPÍTULO CINCO

—**S**omos parte de un pequeño grupo que da caza al clan de Caius —dijo Angela.

—Cazadores —confirmó Aria, poniéndose un par de vaqueros negros en las caderas.

—Vampiro es la mejor manera de describir lo que es Caius, pero el vampiro es solo las historias que se desarrollaron a lo largo de siglos para describir lo que realmente es. Es la explicación de los mortales para algo que no comprenden.

—Entonces, ¿qué es Caius... realmente?

—No beben sangre, si es eso lo que preguntas —dijo Angela con una sonrisa—. Son caníbales, más o menos. Lo serían si fuesen humanos. No hay balas de plata, ni ajo, ni cruces ni agua bendita. Eso eran supersticiones desarrolladas por religiosos que miraron hacia sus dioses para que les protegiesen. Y el ajo una vez se usó solo como un medicamento estándar para tratar una variedad de dolencias.

—Pensaron que era una enfermedad —dijo Aria, tirando de un par de botas de cuero negro que luego se cerró con cremallera en el interior de sus piernas.

—Exactamente. Carecen de tolerancia a la luz, pero eso se debe a donde viven y a su evolución y no a lo que son. No se mueren. No hay murciélagos. Ni ataúdes. Caius es inmortal. Él y su clan simplemente... no envejecen. Pero se los puede matar tan fácilmente como a ti o a mí.

—Si realmente existen los vampiros, ¿por qué no sabemos sobre ellos? —preguntó Aria.

—Lo hicimos una vez —dijo Angela—. A los mortales les aterroriza ese tipo de poder. Así que nos especializamos en cazarlos y matarlos. Se habrían extinguido si no se escondiesen y alentasen las historias que conocemos hoy.

—Entonces, ¿por qué...?

—Porque Caius nos tiene en desventaja. Tiene siglos de entrenamiento acumulado. Mientras que sólo tenemos una vida para dominar cualquier campo, Caius tiene un número infinito de vidas. Su clan ha tenido el tiempo para dominar todas las habilidades conocidas por el hombre. Eso lo coloca en una ligera ventaja.

—Pero... —las manos de Aria fueron a su cuello.

Dos pares de pequeños pinchazos se habían convertido en costras, pero no se podía negar lo que había visto.

—Los caninos —dijo Angela—. Eso es lo que dio a luz a la mayoría de los rumores. No los usan para beber sangre como los murciélagos. Todos tuvimos caninos una vez. Con los años, evolucionamos y nuestros caninos disminuyeron. Los suyos no lo hicieron. Los caninos son venenosos...

—Como las serpientes —dedujo Aria.

—Sí. El veneno paraliza a sus presas. Eso es todo. Las deja inconscientes para... una cena fácil. —Angela sonrió ante la idea y Aria se tambaleó. La habitación todavía daba vueltas—. Aquellas con reacciones alérgicas, han muerto a causa del veneno. De ahí los rumores. Y se puede hacer un antídoto... Al igual que un antídoto para el veneno de serpiente. De hecho, eso es en lo que el profesor está trabajando ahora.

—¿Dónde está el profesor? —preguntó Aria.

La tripulación intercambió miradas silenciosas que convencieron a Aria de cambiar el tema.

—Pero... ¿no se necesita el veneno para crear un antídoto? —preguntó Aria.

Deslizó sus brazos a través de las mangas acanaladas de una chaqueta de cuero negro y liberó su cabello.

—Sep —dijo Angela—. Y ahí radica nuestro problema.

—Y la solución —dijo Norry de repente.

Aria miró por encima de su hombro al barbudo escandinavo de pie en las escaleras.

—La cena está lista.

CAPÍTULO SEIS

El sonido de la comida apartó toda la curiosidad de la mente de Aria acerca del problema y la solución de un antídoto de veneno de vampiro. En vez de eso, casi corrió hacia Norry, que llevó a Aria a la cubierta.

El cielo nocturno saludó a Aria, proporcionando una vista clara de las estrellas. Aria se quedó sin aliento ante el gran volumen de luz que manchaba el negro techo.

—Llevó algo de tiempo acostumbrarse —intervino Cin—. Cuando la invasión se produjo, perdimos la energía eléctrica en la primera semana. El silencio que siguió...la falta de luz de la ciudad...

Norry abrió la puerta de la cocina y el olor a cerdo asado llegó a Aria con fuerza. Su estómago se tensó mientras tragaba un buen montón de saliva.

—Comeremos —dijo Angela—. Y luego revisaremos el plan.

En el momento en que Aria entró en la cocina, Stanushka la arrastró a una silla en la mesa, mientras los platos se llenaban de carne de cerdo y se pasaba la cerveza.

Norry, Stanushka y Cin estaban en sus lugares alrededor de la mesa, con el inventor de monóculo que no lograba alejar su atención de su trabajo, ni por un momento, para darse cuenta de que se estaba sirviendo comida.

—¡Adam! —llamó Angela.

—¡Sí! —respondió Adam, sin levantar la vista de su trabajo.

—¡Come! ¡Tómate un descanso!

Cin puso un plato de cerdo a su lado mientras abría una de sus botellas. El ruido alegre llenó rápidamente la habitación mientras todos entraban. Aria no perdió el tiempo para llenar su vientre, y solo cuando se obligó a reducir la velocidad, echó un vistazo alrededor de la mesa a la miríada de caras. Una capitana con una tiara, una borracha de pelo púrpura vestida de cuero, la rubia con puntas color rosa chicle... incluso aquí, una pistola de llave de chispa, habían encontrado su lugar en la mesa.

El escandinavo intercambiaba tragos con Cin Dixon, que se reía con facilidad. A pesar de todo, Adam había encontrado tiempo para meterse un poco de carne de cerdo en la boca, a pesar de que su ojo todavía estaba pegado a su aparato, su monóculo colocado permanentemente sobre su ojo derecho. Por un momento, Aria lo vio meter un par de dedos en un pequeño bolsillo y sacar un aparato que no podía reconocer. Mitad pinzas, mitad lupa, o tal vez un destornillador..., no lo sabía.

Ajustó el monóculo fijado a su ojo y siguió trabajando.

En menos de veinte minutos el cerdo había desaparecido. A excepción de una bandeja separada que Stanushka estaba llenando en ese momento, no quedaba nada. Aria observó a Stani llevar el plato a la encimera.

—Ahora bien —continuó Angela—. La solución a nuestro actual dilema...

Un grito cortó el aire y los cubiertos se congelaron. La tripulación intercambió miradas silenciosas. Al segundo grito distintivo, todos tomaron su arma más cercana y cargaron hacia la puerta. Demasiado curiosa para preguntar, Aria saltó a sus pies y les siguió.

—¡Atrás! ¡Atrás! —gritaba la voz de un hombre desde la orilla donde solo se podía ver un borrón negro de un grupo apiñado. Los gemidos y gruñidos eran transportados a través del río desde la orilla.

—¡Largo! —dijo el hombre.

Una voz femenina gritó por encima de los gruñidos.

—Chess —dijo Cin, llamando a la tripulación a actuar.

Adam pateó casualmente el costado de la nave. Tan suavemente como si fuese de cristal. Un tablón del suelo se levantó mientras el golpe de metal del ancla que se dejaba caer lo siguió. Antes de que Aria pudiese preguntar, Adam estaba de rodillas, retirando un gran aparato con pintas de lanzacohetes reconvertido en gadget en la cubierta. Sin perder el ritmo, Adam apuntó a la orilla y apretó el gatillo, enviando un gancho de agarre al borde del río mientras el barco se detenía completamente.

Mientras Aria reflexionaba sobre la situación, Stani, Cin y Angela se habían equipado y ya estaban colocando un artilugio con forma de polea en la cuerda que Adam había disparado al terraplén. Con tres jalones, salieron por la polea. El sutil y ligero tintineo del vidrio atrajo la atención de Aria hacia Adam, quien de repente estaba acunando una taza de té. Bebió lentamente la bebida caliente como si saborease los taninos amargos y la noche tranquila en el río Saint Lawrence, a la luz de la luna y en compañía de los zombis. Aria miró a Norry, que ya estaba apoyado en la pared de los camarotes sosteniendo una bota de agua que sospechaba que estaba llena de algo más peligroso.

Adam ajustó su monóculo.

—¿Qué estás haciendo? —dijo Aria. ¿No vas a ayudarles?

—¿Para qué? —dijo Adam como si estuviese haciendo una pregunta sobre física a una estudiante.

—Relájate, Aria —dijo Norry—. Se cabrearán si les robamos la diversión.

CAPÍTULO SIETE

Desde la tirolina, Stani disparó su pistola de chispa automática y acribilló a los Weeches con perdigones. Recibieron el impacto, estremeciéndose bajo el fuego, dando al grupo tiempo para aterrizar en la orilla y liberarse de las ataduras de la tirolina. Cin se volvió con sus dagas liderando el camino. Las tripas de Weech se desparramaban sobre sus manos mientras Angela desenvainaba sus espadas y se abría camino hacia la multitud. Tras ellas, Stani disparó otra ronda de perdigones.

Mientras los Weeches recibían los impactos, Cin y Angela se abrieron paso hacia la multitud.

—¡Allí! —chilló Cin, enterrando su daga en el cráneo de un Weech y llamando la atención de Angela sobre Chess "Cut Lass" haciendo un agujero alrededor de ella.

—¿Quién es ese? —preguntó Angela mientras arrancaba la cabeza a un Weech.

Encogido detrás de Chess, con nada más que un taparrabos y botas negras desiguales, había un hombre pálido y escuálido en la oscuridad. Aparte de sus dedos índices posicionados para formar una cruz, parecía hacer poco más que soltar un grito ocasional.

—¡Atrás! —aullaba ahora, reuniendo suficiente valor para asomar su cabeza por encima del hombro de Chess.

Cambiando de dirección, Cin y Angela se dirigieron hacia Chess y al hombre salvaje. Más Weeches se arremolinaron, y Cin clavó sus dagas en los cuellos, derramando sangre fría y putrefacta sobre el suelo. El hedor las envolvía mientras Angela cortaba las piernas de otro, metiendo sus cuchillas en cráneos y tripas. Llegaron más Weeches hasta que un pulso sónico recorrió la multitud, lanzando a Chess, Angela, Cin, y el hombre salvaje al suelo.

A medida que el humo se despejaba, todo lo que podían ver era a Stanushka esperando pacientemente que todos se levantasen. Una bazuca estaba cariñosamente acurrucada en su hombro.

—¿Qué? —dijo Stani encogiéndose de hombros.

Cin y Angela se pusieron de pie con Chess. Angela arrugó la cara.

—¿Qué es lo que huele a ajo?

—Él —dijo Chess, señalando al hombre salvaje

todavía de espaldas, murmurando enloquecido por lo bajo.

La luz de la luna se reflejaba en su pecho y brillaba como un faro en mitad de la noche.

—¿Qué es? —preguntó Cin estudiando al salvaje todavía tirado sobre su espalda.

—Locura —murmuró él—. Debo... luchar contra la locura.

Stani se abrió camino a través de las extremidades de Weech y se colocó al lado de Chess, que llevaba un traje de pirata del siglo XVI, desde botas con puños abrochados, hasta un sombrero de pirata, perfectamente colocado sobre el pelo negro con rayas blancas.

—¿Qué pasa, Chess? —preguntó Angela.

—No estoy segura —dijo Chess—. Lo encontré en mi huida. Estaba atrapado en un árbol, gritando cosas sobre la locura y la oscuridad. Lo único que he podido hacer es sacarle un nombre.

—¿Cuál es?

—Matt —dijo Chess—. Pero he decidido llamarlo Mad Matt.

Angela asintió con aprobación. —Le va bien.

—Sí, ¿verdad?

—¿Qué pasa con él? —preguntó Stani.

—Todavía no estoy segura —dijo Chess—. Cuando los Weeches lo encontraron en el árbol, estaba cruzando sus dedos hacia ellos, gritando puras chorradas.

—Apesta a ajo —dijo Angela.

Chess frunció el ceño.

—Sí. Es su taparrabos. Creo que lo empapó en mantequilla de ajo... hace cuatro meses.

Mad Matt simplemente murmuraba a las estrellas mientras hablaban.

—La oscuridad —murmuró—. La oscuridad, la locura... y la oscuridad.

—Vale —dijo Angela—. Entonces, ¿qué hacemos con él?

—Bueno, no podemos dejarlo aquí —dijo Stani.

—No estarás proponiendo en serio que lo traigamos a bordo del Cerebro Granizado...

—Bueno, míralo —dijo Stani—. Es bastante dulce.

Al unísono, las chicas miraban al hombre infestado de ajo, casi desnudo, tendido en el suelo y todavía jadeando para sí mismo.

—Vale, —dijo Angela—. Traedlo.

—La oscuridad... la locura... locura.

Aria estudió al hombre, casi desnudo tendido en la tumbona mientras murmuraba interminablemente en un marcado acento inglés. Apretaba la manta contra su pecho mientras Adam movía un estetoscopio sobre el pecho del hombre.

—Parece que se le vayan a salir los ojos de las órbitas —comentó Cinders mientras se sentaba en la barra agarrando una botella de vino.

—Sí, ¿verdad? —dijo Angela.

—Oscuridad...

—¿Qué pasa con él? —preguntó Aria mientras Adam apartaba el estetoscopio de sus orejas y suspiraba.

—Bueno, que yo pueda ver. Lo que sea que le pase es mental.

—Claramente —dijo Cinders.

—Locura... loco...

—¿Ha dicho algo más? —preguntó Adam contemplando la situación como si estuviese viendo el funcionamiento de un artilugio bien engrasado.

—Nada —dijo Angela—. Solo habla de la oscuridad... y la locura...

—Y la oscuridad —dijo Cin.

—Sí, eso también —dijo Angela, sin perderse nada.

—Oye. —Un fuerte crujido vino de la puerta cuando Norry mordió una manzana—. ¿Cómo está el chico del ajo?

—¿Podrías ser más insensible? —gritó Aria mientras saltaba desde su lugar en el mostrador.

Norry mordió ruidosamente otro pedazo de manzana.

—Este pobre hombre está claramente en shock. Algo lo ha fastidiado seriamente...

—Puedes decir "jodido", Aria —dijo Norry.

—¡No! —gritó Aria—. ¡No lo haré! ¡Me niego a creer que la situación esté tan mal! ¡No hay vampiros! ¡No hay zombis...!

—Weeches.

ANGELA B. CHRYSLER

—¡No! —chilló Aria—. ¡No hay Weeches! ¡No hay vampiros! ¡No hay aliens y desde luego no hay zombis!

—Caius —susurró de repente Mad Matt, atrayendo de nuevo la atención de todos hacia la tumbona—. Caiu...

En un solo movimiento, Matt apartó la manta y saltó sobre sus pies. —¡No me sacarán de las llamas, paganos! ¡Diablos! ¡No de la oscuridad!

Matt saltó de la tumbona y antes de que Cin pudiese tragar el resto de su vino, él estaba corriendo por las escaleras a la cubierta principal, subiendo tres escalones de vez, la aleta trasera empapada de mantequilla de ajo de su taparrabos que dejaba un rastro de hedor.

—¡Libertad! —gritó Matt.

—¡Cogédlo! —gritó Chess, desenvainando su alfanje y liderando la serie de gritos cuando Cin, Angela, Stanushka y Chess subieron las escaleras tras él.

Subiendo las escaleras, Matt guió a la manada que corrió hacia su espalda desnuda en lo alto de las escaleras.

—Tú —gruñó, señalando con un dedo largo a una figura que estaba en la cubierta del Cerebro Granizado—. ¡Márchate! —gritó Matt— pero Angela ya había sacado su espada. Cin, sus dagas, y Stanushka se había llevado su especie de lanzacohetes a la cara y apuntaba.

—Vaya, vaya, ahora estáis remolcando a esa ba-

54

sura —dijo la mujer de las sombras. Kylie pasó con facilidad de la borda a la cubierta—. Cualquiera diría que estamos en guerra o algo así.

—Estamos en guerra, imbécil —dijo Stanushka.

—Correcto —dijo Kylie—. Con la guerra y los Weeches y la sangre...

—¿Qué quieres, imbécil? —gruñó Angela.

—Relájate. No estoy aquí para ayudar. Estoy aquí para incordiar —dijo Kylie—. Y la forma más fácil de tocarle las narices a Caius es ayudándote.

Todos apretaron con más fuerza sus armas.

—Caius vendrá por él —dijo Kylie, señalando con la cabeza a Mad Matt, quien todavía estaba aterrorizado—. Si yo fuese tú, me desharía de él, lo encerraría o huiría. Personalmente, lo ahogaría, pero así soy yo.

Angela miró al macho pegajoso de arriba a abajo. La mantequilla de ajo rancia goteaba en sus botas sin atar.

—Sí, lo sé —dijo Kylie—. No parece gran cosa. Pero te aseguro que no siempre fue así —con un salto en su caminar, Kylie estaba de vuelta en la borda—. Yo diría que tienes una hora —advirtió—. A Caius no le gusta esperar.

Con su siguiente paso, Kylie se había ido, dejando tras ella solamente el chapoteo del agua contra las tracas del barco.

CAPÍTULO OCHO

—¡No podemos quedarnos simplemente sentados aquí! —gritó Stanushka por debajo de la cubierta.

—Podemos con él —dijo Cin.

—¿Y si ella está mintiendo?

—Claro que está mintiendo —intervino Norry—. Ninguna mujer con esas pintas es una mujer honesta.

—Tú te enterarías —dijo Angela.

—Él vendrá.

La suave cordura de Mad Matt fue suficiente para hacer callar al grupo. Encorvado en la esquina, Matt miró hacia arriba con la mano apoyada en su boca, como si hubiese aceptado cada palabra intercambiada.

—¿Y tú sabes esto? —preguntó Chess.

—No se detendrá aquí —dijo Matt—. Destruirá tu barco. Os matará a todos, os desgarrará hasta que la sangre se vierta desde vuestros corazones... y entonces se los comerá... se los comerá... lo sé —susurró Matt—. Lo vi hacerlo... a mi hermana... a mi madre...

—Matt —dijo Angela manteniendo el tono bajo.

Matt se secó los ojos.

—Kylie ha dicho que tú sabías algo.

—No me preguntes eso, encanto —dijo—. Nada de eso. Soy el único que sabe. Y si alguien más lo sabe, él vendrá también por vosotros.

—Matt —dijo Stanushka—. Esta información, lo que sabes, ¿ayudará?

—No preguntes, encanto —dijo Matt. Se apartó una nueva ola de lágrimas de los ojos y suspiró—. No puedo quedarme aquí.

Como si se hubiese decidido, Matt se puso de pie y de inmediato agarró una bolsa de herramientas que vio en un rincón cercano. Comenzó a caminar por la habitación aleatoriamente, tirando todo lo que veía en la bolsa.

Las herramientas de Adam...

—Uh... ¿disculpa? —balbuceó Adam.

Un sándwich a medio comer de las manos de Norry...

—¿Disculpa? —dijo Norry.

El alcohol de Cin...

—Oye tú —gruñó Cin.

Y un montón de virutas de madera del suelo donde Angela había estado cortando.

—Muy bien —declaró Matt como si estuviese

listo para emprender un gran viaje. Tiró la última de las virutas de madera en la bolsa y la cerró con fuerza —. Me marcho entonces. Chaíto.

—¡Oye, espera un momento! —gritó Angela mientras Matt tomaba la bufanda de edición coleccionista del *Doctor Who* de Angela, con la que rápidamente intentó vestirse.

Una explosión en la cubierta hizo que el Cerebro Granizado se balancease con fuerza, obligando a todos a agarrarse a las mesas, barandillas y paredes, para mantenerse erguidos.

—Está aquí —dijo Matt y, con la bolsa de herramientas en la mano, huyó por las escaleras, con la bufanda del Doctor, de 5 metros, arrastrándose tras él.

—Ni en el mar ni en la costa volveré a dormir —aulló Matt mientras subía corriendo las escaleras, avanzando con la cabeza baja y la bolsa bajo el brazo.

Otra explosión, seguida de una lluvia de escombros, ocultó a Matt de la vista mientras se deslizaba detrás del camarote del capitán y agarraba una llave inglesa al azar que estaba encima de un barril cercano.

Otro golpe desde la cubierta sacudió la nave, seguido de un aullido.

Matt agarró un aparato al azar y se agachó detrás del barril.

—¡Capitana! —llamó Caius por encima de la explosión.

Uno por uno, Angela, Cin, Chess, Stanushka,

Norry y Adam se lanzaron a la cubierta, uniéndose a la horda de vampiros que se alternaban para destrozar la cubierta a base de puñetazos.

—¡Mi barco! —gritó Angela mientras los secuaces de Caius se turnaban para pegar puñetazos a través de las paredes de la borda y abrir agujeros en la cubierta a patadas.

Stanushka levantó la bazuca, Cin sacó sus dagas, y Chess amartilló sus armas y apuntó.

—¡Capitana! —dijo Caius esbozando una sonrisa.

—Caius —dijo Angela. Bájate de mi barco antes de que eche tu corazón a los Weeches.

—Tsk, tsk —dijo Caius—. Cuánto odio.

—¡Ahora, Caius!

—Tienes algo mío que quiero, Capitana. Devuélveme a la chica... y al Doctor y estaremos en paz. Yo y mi gente nos iremos, dejando tu nave intacta.

—Te irás dejando el barco intacto, en cualquier caso —dijo Cin.

Caius amplió su sonrisa.

—¿Lo haré?

Caius retrocedió y Stanushka disparó la bazuca, errando a Caius por completo mientras cruzaba a toda velocidad la cubierta hacia la capitana. Caius intentó alcanzar el cuello de Angela mientras ella se giraba, espada en mano, para decapitar al primero de los secuaces de Caius. Cuando la primera de las cabezas cayó a la cubierta, una pequeña nube de humo estalló en el rostro de Caius, que gruñó por el hedor a remolachas.

Dos cabezas más cayeron cuando Cin cortó con sus dagas, se dio media vuelta y cruzó las cuchillas por otra garganta. A su lado, Chess disparaba sus pistolas a la cara de los vampiros que se acercaban. Se lanzaban con dedos largos como garras para destrozar a su presa. Los cuerpos caían a la cubierta mientras Norry tomaba su cimitarra y cortaba las cabezas de los vampiros que le siseaban.

Al recuperarse de la explosión y el hedor de las remolachas, Caius vio a Aria. En un suspiro, Caius la alcanzó por detrás, sus garras arañaban su cuello, tenía una sonrisa hambrienta.

—Tu sangre fluye envenenada, Aria. Es sólo cuestión de tiempo...

—Tócala y tu cabeza será la próxima en caer —dijo Angela, con su espada en la garganta de Caius.

—No esperes, Capitana. Mátalo y deshazte de él —dijo Stanushka—. Espera. Deja que te ayude.

Con su bazuca al hombro, Stani miró a Caius a través de la mira.

—Sabéis tan poco más allá de lo que ven vuestros propios ojos —dijo Caius.

—¡Hey, Caius! —llamó Adam desde el otro lado de la cubierta del barco. En su mano, sostenía algo que se parecía a la parte superior de un niño. —Vete al infierno.

Antes de que pudiese soltar la parte superior, un

barril de pólvora explotó detrás de él, lanzando a Adam, a la parte superior del crío, a la tripulación, a Caius y a sus secuaces por toda la cubierta del Cerebro Granizado.

La parte superior dio vueltas a través de la cubierta.

—¡No! —dijo Adam, pero demasiado tarde. Daba vueltas alocadamente, liberando una nube que olía fuertemente a remolacha.

—Corred —dijo Adam.

Levantándose de la cubierta, llevó a la capitana y a la tripulación al Saint Lawrence. Levantó su cara de la cubierta y Caius vio la nube mezclarse con las llamas y estallar en una cadena de explosiones que envolvieron el barco en llamas.

CAPÍTULO NUEVE

—¡**M**i barco! —gritó Angela desde el agua mientras los trozos del Cerebro Granizado estallaban en fragmentos y astillas encendidas.

En silencio, la tripulación y Aria contemplaron los restos, los últimos de su santuario devorado por el fuego y las llamas.

—Hey —les llamó una voz desde atrás.

La tripulación se volvió hacia un pequeño bote salvavidas pilotado por Mad Matt. Aún vestido con la bufanda, Matt saludó desde el interior del bote para señalar a la tripulación, la bolsa negra de basura al azar a su lado.

—¡Al barco! —gritó.

La tripulación nadó hacia el bote de Matt.

—Cin, ayuda a Aria —dijo Angela.

Cin nadó a un lado de Aria y la subió al bote.

—Ahí lo llevas, encanto —dijo Matt, sacando a Aria del agua.

—Aquí —dijo Cin, sujetando sus brazos para meterse detrás de Aria.

Stanushka ya estaba en el bote, ayudando a Chess a entrar en la embarcación, cuando algo se cerró alrededor del tobillo de Cin y la arrastró de nuevo al agua.

—Ayu... —Cin engulló un trago de agua.

—¿Cinders? —preguntó Stanushka, volviéndose hacia donde Cin había estado hacía un momento. Las burbujas cubrían la superficie.

—¡Cinders! —gritó Stanushka.

Tomando una respiración profunda, Angela se sumergió en el agua.

Desde el fondo del río, los Weeches habían visto a la tripulación. Uno había agarrado la pierna de Cinders, tirando de ella hasta el fondo del río. Más Weeches nadaron hacia Cin, que había logrado sacar una daga de su bota. Pero era demasiado tarde. Un Weech agarró la muñeca de Cin. Al sacar su espada, Angela empujó la hoja, perforando el pecho del Weech que sujetaba el tobillo de Cin. Casi al instante, la herida se curó alrededor de la espada de Angela.

Angela retiró la espada, volviendo a abrir la herida y desparramando las entrañas del Weech por el agua.

Una flecha con la punta modificada navegó a través del agua, cortando la mano que sujetaba el tobillo de Cin. Una segunda flecha cortó la mano en la muñeca de Cin, dándole tiempo suficiente para volver a la superficie mientras los trozos de Weech se derramaban en el Saint Lawrence.

De pie en el barco, Norry apuntó una ballesta preparada con un tercer disparo. Junto a él, Stanushka cargó su ballesta.

La tercera flecha navegó hasta el pecho de un Weech que luchaba con Angela. Soltó a la capitana, que nadó a la superficie. Mientras Chess y Adam metían a Cin al bote, Angela salió del agua. Pero el Weech, retrasado por el impacto, se recuperó demasiado rápido y la siguió. Norry cayó de rodillas, tiró la ballesta, y dio un puñetazo al Weech en la cara.

—Con calma —dijo Adam tranquilizador, dando palmaditas en la espalda a Cin mientras ella y Angela tosían oxígeno hacia los pulmones. La superficie del Saint Lawrence se fue estabilizando a medida que los Weeches volvían al fondo del río.

El aire volvió a Angela y lentamente, miró a Matt, todavía envuelto en su bufanda antigua de edición de coleccionista del *Doctor Who*. Se levantó y caminó a través del bote y golpeó a Matt en la nariz.

—¡Capitana! —dijo Adam.

—¡Angela! —gritó Chess.

—¡Has volado mi barco! —gritó Angela mientras Matt sujetaba su nariz sangrante—. ¡Nuestro hogar! ¡Nuestras armas! ¡Todos nuestros suministros! ¡Desaparecidos!

—Angela —la calmó Cin—. ¿Cómo sabes que él ha volado el barco?

—¡Era el único que faltaba en la cubierta! —gritó Angela.

El silencio se produjo cuando todos se volvieron hacia Matt para obtener una respuesta.

—Parecía una buena idea en ese momento —dijo.

—Dame eso —dijo Angela, recuperando su bufanda y dejándolo en sus botas y taparrabos.

—Entonces, ¿qué hacemos ahora? —preguntó Chess, desviando la atención de la tripulación del bote y las pocas provisiones que los acompañaban.

En la distancia, el Cerebro Granizado ardía, iluminando la noche con las llamas.

—Abandonar el barco —dijo Angela—. Esas llamas atraerán a cada Weech a kilómetros de distancia. Cuanto antes nos alejemos, mayores serán nuestras posibilidades de pasar entre los Weeches que vienen hacia nosotros.

—Necesitamos un lugar donde quedarnos —dijo Cin.

—Necesitamos hacer un inventario —dijo Adam—. Ver qué suministros tenemos.

—Necesitamos comida —dijo Stani.

El mástil de la nave crujió y luego se rompió cuando se estrelló contra la cubierta del Cerebro Granizado.

—Sé a dónde podemos ir —dijo Aria.

. . .

Uno por uno, la tripulación se amontonó en tierra.

—Estamos sin armas, tenemos que pasar desapercibidos —dijo Angela—. Cualquier sonido atraerá a los Weeches. Cualquier movimiento atraerá a Caius. Tenemos pocas opciones y una gran prioridad.

Mantuvo el equilibrio con el firme agarre de Cin y Aria salió del barco con sus nuevas piernas de marino.

—Cuando mi padre y yo recorrimos el Saint Lawrence, encontramos un puerto deportivo —dijo Aria—. Lanchas deportivas. Cruceros de un día. Barcos turísticos... Cualquiera de ellos estará repleto de suministros.

—No se sabe cuánto ha sido retirado desde que empezó todo, pero vale la pena echar un vistazo —dijo Norry.

—Eso deja las armas... —dijo Cin.

—Fort Drum.

Todos los ojos se volvieron hacia Adam, que ajustó su monóculo.

—Podemos ir a Fort Drum —dijo.

—Todos los fuertes fueron apresados —dijo Chess—. Las bases militares y los fuertes fueron lo primero que atacaron los Weeches.

—Revisé el fuerte de camino al Saint Lawrence —dijo Adam—. Estaba lleno de Weeches cuando pasé, pero podría estar vacío ahora. Podría estar repleto de armas. Vale la pena mirar.

—Cualquier superviviente en la zona tendría la misma idea —dijo Stanushka.

—La comida primero. Luego las armas —dijo la capitana—. Refugio.

—No importa dónde nos instalemos, habrá zombis o vampiros —dijo Cin—. Escoged.

—Oh, por favor, ¿podríamos no emplear la palabra con "Z"? —dijo Aria estremeciéndose—. Hace que todo esto suene muy estúpido.

—¿Cómo los llamarías entonces? —dijo Stanushka sonriendo—. ¿Caminantes?

—¿Acechadores? —sugirió Adam.

—¿Muertos vivientes? —añadió Chess.

—¿Mis suegros? —dijo Cin.

—Weeches está bien —gruñó Aria.

—La comida es lo primero —dijo Angela—. Entonces discutiremos sobre nuestro próximo compañero de habitación.

Bazuca en mano, Stanushka ayudó a Norry y Adam a llevar el bote a la orilla. Tras empujar el bote al arbusto más cercano lo enterraron bajo un montón de ramas.

—Vamos —dijo Angela, haciendo señas a la tripulación—. Se acerca el amanecer. En una hora, no tendremos ningún camuflaje contra los Weeches. En silencio, se apresuraron a lo largo de la orilla del Saint Lawrence: Cin, Norry, Adam, Stanushka, Mad Matt, Chess, Aria y la capitana.

Aria vio a lo lejos las siluetas de los Weeches convertidas en sombras en la primera luz de la mañana. Mientras arrastraban los restos de sus cuerpos destrozados hacia el río, los Weeches se desplomaron bajo la fuerza de gravedad de la Tierra, como si luchasen contra la fuerza que recaía sobre sus hombros.

Incluso desde allí Aria podía ver la piel colgando de los huesos como trapos.

—Aria —susurró Cin, atrayendo la atención de Aria del grupo que se dirigía hacia ellos.

—¿Por qué no nos hemos quedado en el bote? —preguntó Aria.

—¿Alguna vez has visto a una horda de Weeches atacar a un bote? —preguntó Stanushka.

—Partirán el bote en dos y lo hundirán —dijo Angela.

—Y te dejarán sin ningún sitio a donde huir —agregó Cin.

—La tierra firme te da una salida —dijo Adam—. Lo último que quieres es estar atrapado en un bote con un montón de Weeches por todos lados.

Aria imaginó una horda de Weeches destrozando la única posibilidad de supervivencia que quedaba. Un escalofrío recorrió su columna vertebral. Acelerando el ritmo, miró fijamente al suelo, y sus pensamientos se centraron en el silbido que se oyó y en la lluvia que se detuvo repentinamente en la noche en que su padre había desaparecido. A pesar de todo lo que la tripulación había hecho por ella, tenía sus dudas. Si quería encontrar a su padre, tendría que hacerlo sola. La culpa se asentó en sus tripas al pensar en abandonar a aquellos que tanto habían hecho por ayudarla.

—No sobrevivirás tú sola ahí afuera.

Aria se asustó con el sonido de la voz de Norry. De repente estaba a su lado caminando como un guardia armado.

—¿Cómo? —preguntó ella mirando a su barba rubia.

—Tenías la mirada —dijo él—. Todos la tenemos de vez en cuando. Quieres huir. Volver a un antiguo hogar, una antigua ciudad, un antiguo pasado.

—¿Los dejas marchar? —preguntó Aria.

—Claro —dijo Norry—. Pero nunca vuelven. —Norry miró a Aria directamente a los ojos—. Nadie vuelve nunca. Nadie sobrevive solo el tiempo suficiente para volver.

Norry liberó a Aria de su mirada mientras sus palabras penetraban en ella.

—Estos pocos de aquí —dijo Norry, asintiendo con la cabeza a la capitana que estaba al frente de la formación, que se había detenido para inspeccionar un muro de árboles—. Somos los que no regresamos.

—¿No querías? —preguntó Aria.

—Todos los días —dijo Norry.

Aria se quedó mirando a sus pies, sin saber qué decir.

—Y cada día que no lo hago me arrepiento —agregó.

—¿Por qué?

—¡Norry! —llamó Angela desde los árboles.

Dejando la conversación, Norry agarró la cimitarra a su cadera y corrió hacia adelante para encontrarse con Angela.

—¿Qué opinas de esto? —dijo Angela mientras Norry movía una rama y miraba a través de los arbustos.

—Santa María, madre de Dios —murmuró Norry—. Joder maldita sea.

—¿Qué pasa? —preguntó Cin.

Uno por uno, la tripulación se dirigió a la capitana donde cada uno, a su turno, miró a través de los árboles. Aria apartó una rama y se quedó sin aliento.

Una inesperada luz blanca había iluminado el bosque, permitiendo a la tripulación ver a kilómetros de distancia. Y allí, ante sus ojos, un enorme platillo de casi diez kilómetros de longitud flotaba sobre la Tierra. Un rayo de luz se derramaba desde su vientre sobre el suelo del bosque donde Weech tras Weech, cientos cada vez, se erguían. Cada Weech, doblándose bajo la gravedad de la Tierra, daba vueltas por un momento confundido antes de tomar una dirección. Al sur.

Una sombra dentro del rayo llamó la atención de Aria, y miró fijamente la luz que salía de la parte inferior del platillo. Enterrados dentro de la luz, los Weeches brotaban de la nave como si la propia luz los llevase cuidadosamente a tierra.

—Estamos muy jodidos.

—¿A dónde van? —preguntó Norry.

—Exacto, ¿a dónde? —dijo Angela, mirando a la horda que se dirigía al sur.

—¿Qué vamos a hacer? —preguntó Aria—. No hay manera de que podamos sortear esto —dijo Chess.

—Pues se parece a un tomate.

Todos los ojos se volvieron hacia Matt. Ahora parecía más cuerdo que nunca.

—No, no es así —discutió Cin.

—Que sí —dijo Matt—. Parece un tomate aplastado.

—No, no es así. No se parece en nada a un tomate.

—Que sí —dijo Matt—. Mira. Si inclinas tu cabeza justo a la izquierda...

Chess y Stani inclinaron sus cabezas y entrecerraron los ojos intentando ver.

—No lo veo —dijo Chess.

Aria se alejó, siguiendo la línea de árboles mientras veía a los Weeches deslizarse por el rayo de luz que salía de la parte inferior del platillo.

—También —dijo Matt, su voz se apagaba aún más, mientras Aria caminaba por las hileras de árboles, sus recuerdos volvían a la tormenta, al silbido y a la lluvia.

—Aria.

Una voz que Aria conocía muy bien la llamaba desde los arbustos.

—¿Papá? —llamó Aria.

—Aria.

Aria miró hacia el bosque donde las sombras eran espesas hasta el último detalle.

—Aria.

Aria se agachó sobre sus manos y rodillas y se asomó a los arbustos desde donde la voz la llamaba.

—¿Papá?

Un chapoteo repugnante salía del follaje y Aria se adelantó, apartando una rama. Gruñendo, un Weech levantó sus ojos inyectados en sangre y fijó su mirada en Aria, que estaba arrodillada a menos de un brazo de distancia. Entre ellos, un ciervo yacía muerto. Sus restos goteaban de la mandíbula del Weech que gruñía, exponiendo un conjunto de caninos empapados de sangre.

Aria se quedó helada, incapaz de moverse, incapaz de gritar.

—Aria —dijo Cin—. Aléjate lentamente.

Aria no se movió.

—Solo apártate hacia atrás, cariño...

Temblando, Aria se volvió. El Weech se abalanzó, y un relámpago en forma de bufanda y taparrabos bloqueó la vista de Aria mientras Cin apartaba a Aria del cadáver.

—¡Vamos! —dijo Mad Matt, conteniendo al

Weech con una llave de cabeza—. Sé bueno con la buena dama.

—¡Matt! —gritó.

—¡Corred! —gritó Matt mientras envolvía la bufanda alrededor de la cara de Weech.

—¡Vienen hacia aquí! —dijo Chess.

Aria miró hacia el horizonte. La horda de Weeches había abandonado su movimiento hacia el sur y se dirigía hacia ellos.

—¡Corred! —dijo Matt, luchando contra el gruñón y enbufandado Weech.

Los Weeches avanzaban a través de los árboles. Norry sacó sus cimitarras y cortó la primera de las extremidades que intentaban alcanzarlo.

—¡Suél...! ta...! ¡lo! —gritó Aria, pateando las piernas del Weech.

—¡Mi bufanda! —gritó Angela, y deslizó su hoja a través del pecho de un Weech. —¡Adam! ¡Ayúdalo!

—Voy —dijo Adam, ajustando su monóculo antes de clavar una vara de plata en el cuello de un Weech —. Ahora todos —Adam retiró el palo y lo levantó hacia el cielo—. Tapaos los ojos —dijo, y presionó un botón invisible en el palo, que lanzó una lluvia roja que arreció sobre la tripulación y los Weeches.

—¿Remolachas? —dijo Aria.

El Weech que estaba pateando cayó muerto y la ducha de remolacha de Adam lo empapó.

Desenredando la bufanda del inerte Weech, Matt se lanzó por el artilugio plateado de Adam.

—¡Oye! ¡Mi destornillador! —gritó Matt, tropezando con la bufanda y cayendo al suelo.

—Bueno, pues. Tenemos que seguir —dijo Adam—. Como... ya mismo.

La tripulación bajó sus armas y rápidamente siguió a Adam hacia el río, mientras Matt intentaba agarrar el dispositivo de Adam.

—¿A dónde vamos? —preguntó Stani.

—Allí —dijo Adam, señalando al otro lado del río.

—Esperad —dijo Aria—. ¿Quieres que crucemos el río?

—Ahora, por favor —dijo Adam—. Antes de que el tinte desaparezca.

Los Weeches ya se agitaban, levantándose de nuevo para seguirlos hasta la orilla del agua.

—¡Más rápido! —gritó Angela, metiendo a la tripulación en el río hasta la cintura.

—¡Adam! ¡No podemos seguir metiéndonos en el río! ¡La corriente es demasiado fuerte!

—No iremos muy lejos —respondió Adam.

Mientras la tripulación saltaba al agua, los Weeches alcanzaron la orilla.

—Más hondo —dijo Adam—. Más hondo...

La corriente empujaba mientras se adentraban más en el río. Les llegaba a la cintura.

—Un poco más —dijo Adam. La tripulación se alineó mientras los Weeches entraban al agua.

—Formad una pirámide —gritó Adam.

—¿Una qué? —gritó Cin.

—¡Una pirámide!

—¡No me voy a poner sobre los hombros de nadie! —dijo Cin.

—Nada de hombros —gritó Adam—. Una "V." ¡Formad una "V!" Angela a la cabeza, ¡Cin! ¡Stani! ¡Detrás de Angela! ¡Matt, Aria, Chess! ¡Alineaos! ¡Norry! ¡De pie conmigo! Y ahora empujad todos contra la corriente. Apoyaos entre vosotros para romper la tensión del agua y reforzar nuestra resistencia a la corriente. ¡Y moveos! ¡Más profundo ahora! ¡Juntos! Tenemos que atravesar la corriente.

Como uno solo, la tripulación avanzó a través de la corriente mientras la superficie se elevaba a sus pechos. Los Weeches continuaron siguiéndolos a través del río.

—Ahora —dijo Adam—. Observad.

En el momento en que el primer Weech entró en la corriente, el agua lo destrozó y apartó sus pies de debajo de él. Lo siguieron más, cada Weech cruzaba a través del río por su cuenta. La tripulación observó cómo cada Weech era destrozado por la corriente y empujado río abajo.

—¡Adam! —lo llamó Chess—. ¡No podemos hacer esto para siempre!

—¡No, no podemos! —dijo Adam.

—Cuando yo diga, saltad —gritó Matt.

—¡No! —gritaron Aria, Adam y Norry.

—¿Tenéis una idea mejor?

La tripulación se miró, cada uno esperando que el otro formase un plan.

—¡Vale entonces! —dijo Matt—. Cuando yo diga, saltad... ¡Saltad! —gritó Matt.

La tripulación saltó y la corriente los empujó por el río, lejos del lugar de aterrizaje. Los Weeches procedieron a seguirlos, pero la corriente apartó rápidamente a la tripulación.

—Ada... —Angela se bebió un buen trago de agua.

Mientras la corriente arrastraba a la tripulación, Adam luchó contra el flujo del agua y buscó su bota. Desde dentro de su bota, extrajo un tubo plateado. El agua lo arrastró hacia abajo y Adam empujó su cabeza hacia la superficie, apuntó y disparó una mano con forma de garra hacia las orillas.

—Un Dale... —el agua arrastró a Matt bajo la superficie.

—Aguant... —la cabeza de Adam quedó cubierta también. Volvió a la superficie—. ¡Aguanta!

Angela agarró el brazo de Adam y buscó a Norry, que se agarró con fuerza. Aria y Matt les siguieron después cuando Chess agarró el cinturón de Norry. Cin agarró la mano de Chess, luego tomó la mano de Angela. Angela buscó y atrapó a Stani, que se preocupaba principalmente de mantener su bazuca sobre la superficie del agua.

Al pulsar un botón, la cuerda de Adam, movida por el tubo de plata se agitó, arrastrando a la tripulación en la cuerda.

—¡Soy un pez! ¡Soy un pez! —graznó Matt, maravillado por la cadena humana que habían formado en el agua.

Uno por uno, llegaron a la orilla y se arrastraron a tierra. A su vez, se tiraron sobre la hierba, jadeando para recuperar el aliento mientras descansaban allí.

—Recuérdame —dijo Chess—, que le pegue un puñetazo a Matt cuando tenga fuerza para moverme.

—Oye, capitana —dijo Norry desde el suelo—. ¿Qué tal si lo dejamos por esta noche?

—Sí —dijo Angela, entre cada respiración—. Hagamos eso.

—¿Es seguro este lugar? —preguntó Aria.

Seguro.

El silencio se extendió a través de la tripulación.

—Seguro —reflexionó Matt—. ¿Es todavía seguro algún lugar?

—Entonces, vamos —dijo Norry, poniéndose de pie—. Hagamos un fuego. Revisemos los suministros. Construyamos un refugio. Vamos, hombre de ajo. Podemos cortar algunas de las ramas de pino más grandes para formar un tejado para pasar la noche.

—De acuerdito —dijo Matt.

—Exploraré el área —dijo Chess, poniéndose de pie.

—Yo voy a cazar —dijo Cin—. Veré si puedo encontrar algo de vida salvaje en la zona que podemos atrapar.

—Espera, Cin —dijo Stani—. Voy contigo.

77

La tripulación se dispersó mientras Angela y Adam comenzaban a contar los suministros.

—Muy bien —dijo Angela—. ¿Qué tenemos con nosotros? ¿Qué hemos perdido?

Abrazándose el pecho con los brazos, Aria se deslizó en el bosque sin ser vista.

CAPÍTULO DIEZ

Aria vagó por los árboles, deteniéndose de vez en cuando para recoger un palo al azar.

Se fijó en un delgado abedul que había caído. Un poco de presión en el lugar correcto sería suficiente para romperlo en pedazos grandes. Izó un extremo del abedul y lo colocó en su propio tocón mientras las últimas horas desfilaban por su mente. Aria dejó caer su pie sobre el tronco, pero sólo rebotó como respuesta.

Aria pateó de nuevo. El tronco rebotó. Aria pateó una y otra vez mientras las imágenes de su padre y Caius corrían por su cabeza. Aria pateó. Los Weeches acercándose...

Patada.

Caius.

Patada.

La nave espacial.

Patada.

Los Weeches.

Patada.

Su padre.

Aria cayó al suelo y sollozó, estremeciéndose por el frío en el aire, enfadada con sus propias limitaciones.

—Aria.

Aria dio un grito de asombro y miró a Mad Matt, de pie con su taparrabos, sus botas y su bufanda.

—¿Qué quieres? —dijo Aria, sorbiendo mientras apartaba las lágrimas.

—No hay necesidad de ocultar las lágrimas, encanto. Tienes derecho a ellas.

—Sí, y ¿qué sabrás tú al respecto? ¿Sobre nada de eso?

—Has perdido a alguien cercano a ti. Eso es evidente.

Aria abrazó sus rodillas contra su pecho.

—No debería estar aquí.

—No —dijo Matt—. No deberías. Ninguno de nosotros debería.

—Sólo quiero que mi padre vuelva. En cambio, estoy aquí con... ¡ni siquiera sé qué es esto! ¡Es una locura! ¡Eso es lo que es!

Matt se instaló en el suelo, junto a Aria y suspiró.

—Bristol —dijo.

—¿Qué?

—Soy de Bristol.

Aria estudió la cara de Matt mientras recordaba una vida perdida hacía mucho tiempo.

—Estaba de camino a casa desde el trabajo cuando comenzaron las invasiones en Inglaterra. El primer ministro fue el primero en desaparecer, y nuestros gabinetes. La familia real. No me sentía bien ese día, así que me fui. No creo que nunca me haya alegrado tanto de tener un virus estomacal. Si me hubiese quedado... Si me hubiese sentido bien, nunca me habría ido temprano y no me habría perdido la masacre. Habría muerto junto a mis compañeros de trabajo.

Aria miraba, demasiado aturdida para responder.

—Primero eliminaron los medios. Eso lo supe más tarde. Se dieron cuenta de que un ataque sería más efectivo si el público permanecía en la ignorancia. Nadie lo vio venir. Nadie sabía nada... todos éramos patos de feria.

—Si los medios fueron eliminados, ¿cómo lo supiste tú? ¿Lo del primer ministro y los gobiernos y la familia real?

—Porque, encanto —dijo Matt—. Estaba trabajando con el primer ministro para organizar la reunión formal entre Weeches y humanos. Desenrollé la maldita alfombra de bienvenida para ellos. Cada fuente de información, cada organismo gubernamental se estaba organizando en el mismo edificio cuando lanzaron su ataque. Todos los que eran capaces de comunicar y gobernar, aniquilados de un solo golpe. Nadie lo vio venir. Nadie estaba preparado o era siquiera consciente de los ataques que sucederían a continuación. Sin TV, sin radio, sin periódicos, sin satélites... sin internet o teléfonos... todo había desaparecido. Nuestro único medio de comunicación era el boca a boca. No es muy efectivo para informar sobre una invasión a gran escala.

—Todo desapareció —dijo Aria.

—¡Síp! —asintió Matt—. Y también me he pillado un Lapris.

Aria miró a Matt con total seriedad. Estallaron juntos en un ataque de risa. Al rato se calmaron.

—¿Fuiste capturado por Caius? —preguntó Aria. Matt asintió.

—Lo fui.

—¿Por qué? ¿Qué es lo que quería?

—No puedo decírtelo, encanto. No puedo darle a Caius más razones para cazarte.

Aria miró a los cielos, y Matt se puso de pie.

—¿Matt?

—¿Sí, encanto?

—¿Crees que mi padre está vivo?

—Si él se te parece —lo estará.

Aria observó cómo Matt regresaba al campamento, se sentó un rato más mientras miraba hacia el cielo.

—Es simplemente hermoso —dijo.

Poniéndose de pie, se cepilló la hojarasca de la

espalda, colocó de nuevo su pie en la parte más débil del tronco. Tras encontrar el equilibrio, brincó ligeramente, lista para desplazar todo su peso sobre el tronco cuando una mano fría le sujetó la boca, retorciéndole el brazo alrededor y hacia la espalda, y sujetándole la cabeza hacia atrás contra un pecho duro y frío.

—Mi clan está posicionado y listo —suspiró Caius—. Te mueves. Luchas. Y ellos te matan.

Caius añadió un suave beso en la oreja de Aria.

—Ven —dijo Caius—. Alguien ha solicitado reunirse contigo.

Caius abrió la boca y hundió sus caninos en la carne del cuello de Aria. Sintió que caía abatida en los brazos de Caius y todo el mundo se tornó negro.

CAPÍTULO ONCE

—¡**A**ria! —llamó Norry a través del campo.

—¡Aria! —gritó Cin.

—¿Algo? —preguntó Angela.

—Nada —dijo Adam.

Capitana —dijo Norry—, no podemos seguir haciendo esto. Es un milagro que no hayamos atraído a los Weeches ya.

—Tenemos que hacerlo —dijo Chess, jadeando mientras se unía al grupo—. Stani y yo los hemos estado reteniendo.

—¿Alguien ha encontrado algo? —preguntó Angela.

Stanushka se unió a ellos. La sangre fresca de Weech le cubría los brazos y sus cañones echaban humo.

—No podemos quedarnos aquí al descubierto —dijo.

—Tiene razón —dijo Adam—. Tenemos que encontrar un refugio. Retroceder. Reagruparnos. Evaluar. Ejecutar.

—No la dejaré —dijo Norry.

—No la vamos a dejar —dijo Cin.

—Adam tiene razón —dijo Angela—. No podemos ayudar a Aria si no cuidamos primero de nosotros mismos.

—¿Retirarnos a dónde? —dijo Norry—. El Cerebro Granizado ya no existe. No tenemos hogar. Ni suministros. Ni Aria...

—Singer Castle.

Todos los ojos se volvieron hacia Matt, que había permanecido inquietantemente tranquilo desde la desaparición de Aria.

—Matt —dijo Angela—. ¿Qué es lo que sabes?

—Los Weeches no abducen —dijo Matt—. Si los Weeches la hubiesen encontrado habría trozos de ella por todas partes.

Esas palabras impactaron a la tripulación, creando un silencio enfermizo entre ellos.

—Si estuviese aquí —continuó Matt—. Respondería. No está aquí, lo que significa...

—Caius —dijo Angela.

—Caius —confirmó Matt.

—No tenemos barco —dijo Cin.

—Ni provisiones —dijo Adam.

—Ni tampoco un plan —dijo Stani.

—¿Y quieres que lancemos un ataque contra Singer Castle? —preguntó Chess.

—Es imposible —dijo Norry.

—Es posible —dijo Matt—. Además, no habéis tenido en cuenta nuestro mayor activo.

—¿Cuál? —dijo Cin.

—Yo —dijo Matt—. Olvidáis... —Matt le dio a la bufanda de 5 metros de Angela una floritura, envolviendo un extremo alrededor de su cuello una, dos y tres veces—. Que soy El Doctor.

La tripulación observó estupefacta como Mad Matt, llevando nada más que botas, un taparrabos impregnado de ajo y una bufanda del *Doctor Who*, caminaba orgullosamente hacia el río con la mitad de la bufanda detrás de él.

—¿De verdad vamos a seguir a la batalla a un inglés casi desnudo?

—Sí —dijo Adam—. Sí, creo que lo haremos.

—Pero ni siquiera tiene cordones en las botas —dijo Cin.

—No —dijo Angela—. No tiene.

—Angela —susurró Chess en voz alta—. Cree que es El Doctor.

La boca de Angela se apretó.

—Sí. Sí, lo cree de verdad.

—¿Crees que deberíamos decirle que no lo es? —preguntó Adam.

—No creo que eso importase —dijo Angela.

—Vamos a morir —dijo Norry—. ¿Verdad?

—Sí —dijo Angela—. Sí, lo haremos. Sacudiendo la cabeza, Angela siguió a Matt hacia el río, llevando a su tripulación hacia Singer Castle.

CAPÍTULO DOCE

La bruma se rompió y el sueño se desvaneció cuando Aria despertó en la oscuridad por el sonido de los sollozos, gritos y el familiar gorgoteo de la charla de Weech. Un persistente hedor rancio a sótano húmedo e inmundicia humana se aferraba al aire. Un fuego quemaba los hombros de Aria, estirados por cadenas que forzaban dolorosamente sus brazos a abrirse.

Los gritos flotaban desde algún lugar en la distancia, alimentando su pánico. Aria tiró de las cadenas. Apoyó su pie detrás de ella en la pared y tiró de nuevo las cadenas que penetraban en sus muñecas.

—Yo no me movería demasiado —canturreó una suave voz a través de la celda.

Aria se quedó inmóvil y miró a través de la oscuridad, hacia el final de la habitación, donde una explosión de luz iluminó la alta silueta de Caius.

Con la luz, Aria podía ver a un par de Weeches encadenados lo suficientemente cerca como para devorarla si lograse escapar. El horror la envolvió al ver detrás de ella las jaulas y celdas que se alineaban en la pared como un pasillo, cada una de ellas repleta hasta el tope con los últimos humanos.

Las mujeres en su mayoría lloraban en silencio y sostenían a sus hijos cerca de ellos en mitad de la suciedad.

—¿Qué cojones les estás haciendo? —dijo Aria.

Caius se volvió hacia las jaulas detrás de él.

—Los hemos salvado.

—¡Esto es una locura!

—Es nuestra única oportunidad de sobrevivir —dijo Caius.

—¡Entonces no tienes por qué sobrevivir!

—¿Somos diferentes de los humanos que crían el ganado para comer?

—¡No dormimos con ganado! ¡No nos casamos con él y nos reproducimos con él! —dijo Aria.

—Vuestros mitos discrepan.

—¡Sois monstruos!

—Tenemos derecho a sobrevivir —dijo Caius.

—¡No cuando vuestra supervivencia es a nuestra costa! ¡No sois mejor que los Weeches!

—Los Weeches no te darán la oportunidad de vivir. Te destrozarán.

—¡No es distinto a lo que has hecho aquí! —dijo Aria.

—Los Weeches no lo hacen con la humanidad.

—¡Y esto! ¿¡Esto es lo que llamas humano!? Oh, ¿¡Cual es la diferencia!? Estamos discutiendo sobre cuál de los dos monstruos es el peor. ¿¡Y quieres que sea parte de eso!?

—Eres parte de esto, Aria. Naciste para esto décadas atrás.

—Nunca fui tal cosa —dijo Aria.

Caius se volvió para mirar mejor a los humanos encogidos en sus jaulas.

—Esto es todo lo que queda, demasiado pequeño o enfermo o joven para comer, así que los almacenamos aquí hasta que tengamos un uso para ellos.

—¡Son personas!

—Son ratas de laboratorio —corrigió Caius.

El horror de la situación la penetró. Como diciendo, "déjame mostrarte", Caius retrocedió, apuntando la luz para iluminar un corredor donde había mesas, utensilios, cadáveres y la fuente de los gritos distantes.

Aria se estremeció mientras pateaba contra la pared, sin importarle los cortes y la sangre, mientras el metal le cortaba las muñecas o los Weeches se excitaban con su repentino movimiento.

Agotada, se desplomó al suelo tanto como las cadenas le dejaban y lloró.

—¿Qué demonios eres? —dijo Aria.

—Exactamente lo que nos volvisteis —dijo Caius
—. Obligados a vivir en secreto en agujeros subterrá-
neos. Obligados a vivir como animales acurrucados
en guaridas para escapar del genocidio de los hombres. Todo lo que somos hoy, lo hicisteis... Evolucionamos para adaptarnos al estilo de vida concedido
por los humanos. Veneno que paraliza a nuestras presas, fuerza y velocidad que superan las de nuestros
depredadores...

—¿Y la sed de sangre y el canibalismo?

Caius sonrió.

—Oh, no, dulce Aria... eso es una elección. O lo
fue una vez. Caius sacó un vial y lo sostuvo para que
Aria pudiese verlo a la luz.

—¿Qué es eso? —preguntó Aria.

—Esto. —Caius miró el vial como si mirase a una
amante—. Esto es un virus, fabricado, desarrollado y
perfeccionado dentro de estas mazmorras. Los infec-
tados seguirán viviendo con el antojo de sed de sangre. Afecta el cerebro y retira todas las inhibiciones.
Construye músculo artificial y agudiza la imaginación.

—Entonces, es un vial de alcohol —dijo Aria.

Caius se rio entre dientes.

—Hay efectos secundarios.

—¿Qué tipo de efectos secundarios? —preguntó
Aria.

—Balbuceo. Divagaciones locas. A veces delirios

de que el anfitrión es alguien que no es, o que tiene superpoderes que no están allí.

Inmediatamente, los pensamientos de Aria se dirigieron hacia Mad Matt.

—En el anfitrión promedio, puede tener una serie de efectos. —Caius dirigió su mirada amorosa a Aria —. Pero en el anfitrión correcto, hace algo completamente diferente.

—¿Como qué? —preguntó Aria. Su corazón latiendo, golpeaba contra su pecho.

—Encontramos una manera de alterar los componentes químicos de un huésped... convertirlos en lo que no son. Transformarlos.

Aria se mofó.

—Pero eso es tecnología que va más allá de nuestra ciencia. No podemos acercarnos a ese tipo de ciencia.

—Quizá nosotros no —dijo Caius—. Pero ellos sí.

Caius levantó una ceja en dirección al Weech tratando de arañar a Aria.

Ella ahogó un grito.

—¡No!

—El mismo veneno usado en los Weeches para asimilar a los humanos, es el mismo veneno contenido en este vial. Hemos encontrado una forma de asimilar a los humanos y convertirlos en lo que queramos... y tú, Aria, eres la primera.

—¡No! —gritó Aria, y se pegó contra la pared.

—La composición de tu ADN es única. Solo tu

sangre servirá como el anfitrión que estamos buscando. ADN transmitido por tu familia.

Aria se quedó helada.

—Mi padre…

—Yo estaba allí, ya sabes —dijo Caius—. Esa noche cuando tu padre desapareció.

Los ojos de Aria se abrieron de par en par y con atención.

—Llovía a cántaros… y sonaba la sirena… ¿Nunca te has preguntado por qué supe que debía estar allí? ¿Cómo llegué a estar allí esa noche?

—¿Dónde está mi padre? —susurró Aria—. ¿Tú…? — El fuego le quemaba la punta de la nariz—. ¿Dónde está? —preguntó ella, luchando contra sus cadenas de nuevo—. ¿Qué le hiciste? ¿Dónde lo llevaste? ¿Está aquí?

Caius caminó hacia Aria lentamente.

—¿Donde…? —Agotada, Aria se recargó contra la pared—. ¿Dónde está mi padre?

Caius retiró un mechón de cabello de Aria.

—Por favor —dijo Aria. Una sola lágrima se deslizó por su nariz.

—Entiendo tu desdén por mí —dijo Caius. Suavemente, tomó la mejilla de ella en su mano, permitiendo que su cabeza descansase en la palma de su mano—. Podría darte cualquier cosa —dijo—. Lo que quisieras por nada.

—Preferiría morir que vivir un momento de mi vida contigo —susurró Aria.

Caius frunció el ceño y extrajo una jeringa de su abrigo. Rápidamente, colocó el vial en la jeringa.

—Tengo toda la eternidad para esperar —dijo Caius—. Aprenderás a amarme antes de que esta vida termine.

Un nuevo estallido de gritos les hizo prestar atención a las habitaciones de arriba.

—Pero... viendo que no tengo una eternidad... —Caius se lanzó y hundió sus dientes en un lado del cuello de Aria, y clavó la aguja en el otro.

Aria gritó mientras Caius vaciaba el vial. Un momento después, se quedó en silencio contra la pared.

CAPÍTULO TRECE

Caius huyó por las escaleras principales. Su calma y su dignidad se desvanecieron con su rabia, mientras se dirigía a la sala principal.

—Estamos bajo ataque —dijo un vampiro mientras se encontraba con Caius en los escalones.

—No voy a tolerar eso —dijo Caius—. ¿Quién es?

—Los piratas están aquí.

Caius se quedó helado y soltó un suspiro.

—¿Está él con ellos?

—Lo está.

Caius continuó subiendo las escaleras como antes.

—No dejes que se vayan. Vivos o muertos, los otros pueden quedarse, pero ese inglés no vuelve a salir de aquí. Sus células contienen todo nuestro trabajo de los últimos veinte años.

———

En las mazmorras donde yacía Aria, el par de Weeches encadenados gruñían y tiraban de sus ataduras.
Una mujer vestida con ropas desgarradas por la suciedad y el tiempo dio un paso adelante sin esfuerzo,
levantando la hoja en su mano. La katana se deslizó a
través de la cabeza del Weech y éste cayó al suelo
muerto. Cuando se giró, basculó la hoja con ella, cortando el cuello del segundo Weech, que cayó al suelo
del calabozo.

La mujer se arrodilló junto a Aria, que había empezado a temblar como si tuviese fiebre. Al exami-
narla más de cerca, pudo ver que la piel de Aria ya
había palidecido a semejanza de la de Caius. La
mujer retiró un vial de sus harapos y rápidamente in-
trodujo el líquido en una jeringa. Inyectó cuidadosamente el fluido en Aria.

—Shh —la arrulló y acarició suavemente la cara
de Aria—. Estás bien ahora.

El temblor disminuyó cuando la calma se asentó
sobre Aria y el color volvió a sus mejillas. Un momento después, la mujer estaba soltando las cadenas
de Aria.

CAPÍTULO CATORCE

Los gritos llenaban la sala.

—¿Qué pasa? —gritó uno de los vampiros.

—¿Dónde está Caius?

Más gritos acompañaron a una explosión lejana. El castillo crujía a causa del temblor.

Kylie salió de la habitación, descendiendo las grandes escaleras mientras un vampiro volaba hacia la ventana, desesperado por mirar a través de los terrenos de Singer Island.

—¿Qué está pasand...?

Una explosión arrojó la puerta al vestíbulo, enviando una avalancha de roca, polvo, escombros y astillas de madera con ella.

—¡Guau! ¡Ven conmigo ahora! —gritó mientras la nube de polvo se despejaba.

La tripulación del Cerebro Granizado emergió

con un persistente tufo a remolacha. Mad Matt vestido con sus botas, la bufanda del *Doctor Who*, y el taparrabos armado con un cubo de globos de agua; Cin Dixon con su botella y sus espadas; Adam equipado con una taza de té negro que bebía lentamente a sorbos y con mucha paciencia; Stanushka, con un juego de lanzagranadas M32 humeantes colocado en cada brazo; Chess con su pistola de llave de chispa, y Norry, armado con un par de cimitarras. En el centro de la tripulación, Angela estaba de pie, con una tiara apenas visible debajo del sombrero de capitán y una katana en la mano.

Norry puso en pausa el radiocasete.

—¿Un radiocasete? —preguntó Cin, arrugándole la cara a Norry—. ¿En serio? ¿Cuántos años tienes?

—¡Caius! —gritó Angela—. ¡Sal! ¡El Capitán quiere jugar!

—Kylie —gruñó Norry al otro lado de la habitación—. ¿Dónde está?

Kylie miró desde las escaleras con una expresión aburrida.

—Oh, la chusma ha llegado.

—Queremos a Aria —anunció Matt.

Caius sonrió y un alto vampiro rubio apareció por detrás de las escaleras.

—Aria —dijo Caius—. Es mucho pedir... y os costará caro.

—No estamos aquí para negociar —dijo Angela.

Otro vampiro apareció desde el agujero en el

muro, detrás de la tripulación del Cerebro Granizado.

—Estamos aquí para saldar deudas —dijo Stani.

—Tenéis el descaro de derribar mi puerta... —dijo Caius.

—Muro —corrigió Chess.

—Para ser justos, la puerta está en algún lugar por aquí —dijo Norry.

Un tercer y cuarto vampiro se unieron a las filas mientras Caius enfurecía a la tripulación.

—Os haré esta oferta —dijo—. Marchaos ahora sin ese hombre, y olvidaré lo estúpidos que habéis sido derribando mi puerta.

—Muro —corrigió Adam.

—Matt es uno de nosotros —declaró Angela.

—¿Cuándo ha sucedido eso? —preguntó Cin, mirando al inglés semidesnudo que todavía apestaba a ajo.

—Él se queda con nosotros —dijo Angela.

Las fosas nasales de Caius se encendieron visiblemente ante el desafío de la tripulación.

—Caius —dijo Kylie desde las escaleras.

—Ahora no, Kylie —dijo él.

—Caius —dijo Kylie nuevamente.

Caius miró a Kylie.

—¡Ahora no, Kylie!

El zumo de remolacha salpicó el pecho de Caius. Los restos de un globo de agua roja colgaban de su chaleco. Toda la atención se centró en Mad Matt, que estaba de pie, armado con un segundo globo de agua.

—Cogedlos —dijo Caius y los vampiros entraron en acción, encontrándose con las armas de Stani de frente.

Mientras Chess descargaba sus pistolas de chispa, Norry intervino, blandiendo sus cimitarras y llevándose las cabezas más rápido de lo que podían saltar a sus espadas.

—Ahora —dijo Adam. En ese momento, Matt lanzó una andanada de globos de remolacha. El zumo de remolacha salpicaba por todas partes, mezclándose con la sangre y el alcohol mientras Cin cambiaba su botella por una daga que se abría camino entre los dientes.

Codo con codo, Angela, Adam y Cin desfilaron a través de la pelea hasta las escaleras.

—Por aquí —dijo Angela—. Matt dijo que ella estaría cerca del piso más bajo...

Angela se quedó inmóvil.

—¿Qué pasa? —preguntó Cin, mientras Adam pasaba junto a Angela.

—Dios mío... —dijo Adam—. Aria.

En una puerta que bajaba un tramo de escaleras, había una mujer sin fuerzas, llevando a Aria en sus brazos.

Se desmayó y Adam se lanzó, atrapando a Aria y a la mujer antes de que golpeasen el suelo. Angela y

Cin se inclinaron a su lado y ayudaron suavemente a Aria y a la mujer a acostarse.

—Aria está bien —dijo Adam—. Parece que acaba de desmayarse.

—P-por fav... —balbuceó la mujer.

—Shh —dijo Angela en voz baja mientras Cin apartaba los harapos de la mujer.

—¿Quién es? —preguntó Angela.

—Es la madre de Aria.

Cin, Adam y Angela se volvieron hacia la voz que había detrás de ellos y miraron a Kylie.

Adam, Angela y Cin intercambiaron miradas y miraron a la mujer cubierta de sangre y harapos. Por debajo de la mugre podían distinguir el parecido.

—Parece que ha perdido mucha sangre —dijo Cin, retirando la última capa. Bajo una mano temblorosa cubierta de sangre, encontró la herida de la mujer: un agujero abierto por debajo de una costilla destrozada.

—Parece que se ha cargado a algunos de los nuestros mientras subía —dijo Kylie.

La madre de Aria movió la hoja que estaba olvidada en el suelo.

—D-da...le... —susurró.

Angela aceptó la hoja.

—Lo haremos... nos aseguraremos de que Aria la tenga.

La mujer resolló como aliviada e intentó sonreír a

pesar del dolor mientras tomaba su último aliento. Un momento después, exhaló y la vida la abandonó.

—Vamos —dijo Adam—. No podemos quedarnos aquí.

Adam recogió a Aria del suelo y se detuvo. Una horda de Weeches había encontrado la forma de llegar a la isla y se encaminaba hacia el enorme agujero de la pared.

—¿Bueno? —dijo Adam—. Vamos a seguir adelante entonces.

Angela los siguió de cerca sin cuestionar nada.

—Pero... —Cin se quedó mirando, atónita ante la cantidad de Weeches que se acercaban al muro.

—No te preocupes —dijo Adam, encabezando tranquilamente la marcha sobre los escombros.

—¡Cerebro Granizado! ¡Vamos! anunció Angela, sin prestar atención a la batalla.

Stani había continuado disparando balas sobre los vampiros que saltaban sobre ellos junto a Chess mientras Matt procedía a lanzar globos de remolacha a Caius, que estaba inmerso en la pelea contra Norry.

Angela vio esto por el rabillo del ojo, cuando Caius echaba un vistazo a Aria que dormía en los brazos de Adam. En un último golpe, Norry perdió el equilibrio y Caius saltó.

Adam se quedó paralizado mientras Angela saltaba al frente para recibir el golpe por Aria, y en su lugar, recibió el silencio. Entre Caius y Aria, Chess se mantenía inmóvil y colgaba al final del brazo de Caius.

Chess tosió escupiendo sangre.

Caius retiró su mano del pecho de Chess. Estaba muerta antes de tocar el suelo.

Un ensordecedor grito llenó el castillo mientras Stani cargaba. Angela blandió su espada contra Caius, que esquivó el ataque. Olvidándose del cubo de globos de remolacha, Matt se metió en la pelea.

—No —dijo Norry, sujetando a Matt antes de que pudiese acercarse demasiado—. Tenemos que irnos —dijo Norry—. ¡Adam!

—Yo me ocupo —dijo Adam—. ¡Escuchadme todos! ¡Salida a la derecha!

Norry llevó a Matt hacia la puerta mientras Angela y Cin se encontraron con Stani de frente, uniéndose a Adam cuando se dirigían hacia la puerta.

Caius se lanzó y se estrelló con fuerza contra Kylie, quien lo mantuvo inmóvil.

—¡Kylie! —gruñó Caius—. ¡Libérame!

Angela miró hacia atrás.

—¡Salid de aquí, Cerebro Granizado! —dijo Kylie.

—¡Has elegido tu bando, hermana! —dijo Caius.

La tripulación del Cerebro Granizado volvió a trepar por el agujero en la pared donde Adam le pasó a Aria a Norry.

—Caius —dijo Kylie—. Vete al infierno.

Adam sacó un reloj de bolsillo de su chaleco y le

dio un tirón al dobladillo de su prenda para endere-
zarlo. Como si estuviese comprobando casualmente
la hora, enderezó su monóculo y abrió el reloj. Cada
gota de zumo de remolacha se encendió, envolviendo
la sala en llamas.

EPÍLOGO

Angela miró a lo lejos, donde un platillo transportaba a Weech tras Weech sobre el suelo de Alexandria Bay. Singer Castle ardía tras ella. Cin y Norry desaparecieron bajo cubierta con Aria, impacientes por colocarla en un lugar cómodo. Adam se puso a trabajar de inmediato ajustando las armas de Stani.

En algún momento de la noche, el profesor desapareció para el mundo. Los restos de Chess se habían perdido en las llamas. Era demasiado pronto para sentir el dolor y la pérdida. Por la mañana, la fatiga de la batalla se habría convertido en un shock. Tal vez en un día o dos, volverían a sentir lo suficiente como para llorar por Chess. Por ahora, la necesidad de sobrevivir era demasiado imperiosa.

—¿Capitana?

Angela se volvió hacia Mad Matt, todavía de pie

allí en nada más que botas, un taparrabos empapado de ajo, y su bufanda de 5 metros.

—¿Qué hacemos ahora? —preguntó.

Exhausta, Angela miró hacia la nave Weech y la única solución posible que quedaba.

—A los Weeches.

———

¡Felicidades! ¡Has abordado el HMS Cerebro Granizado!
Cada uno de mis libros viene con un tesoro enterrado, un marcador de libros gratis (sólo puedo enviarlo dentro de los EE.UU.), y material "detrás de las cámaras".

Puedes encontrar todo esto y más en http://angelabchrysler.com/hms-slush-brain/ ¡Introduce la contraseña distinguiendo entre mayúsculas y minúsculas "Batman Sucks!", para ¡acceder al botín del Cerebro Granizado!

¡La historia continúa en Zombis del espacio... Puños en la oscuridad! Lee gratis en www.angelabchrysler.com

Querido lector,

Esperamos que hayas disfrutado leyendo *Zombis del espacio... Y vampiros*. Tómese un momento para dejar una reseña, incluso si es breve. Tu opinión es importante para nosotros.

Atentamente,

Angela B. Chrysler y el equipo de Next Charter

MARCA PÁGINAS GRATUITO

Pide tu marca páginas gratuito de Zombis del espacio... y Vampiros en
http://angelabchrysler.com/secret-page/

SOBRE LA AUTORA

Angela B. Chrysler es una escritora, lógica, filósofa y empollona empedernida que estudia teología, lingüística histórica, composición musical e historia medieval europea en Nueva York, con un seco sentido del humor y una inusual capacidad del sarcasmo. Vive en un jardín con su familia y sus gatos.

http://www.angelabchrysler.com/

Zombis Del Espacio... Y Vampiros
ISBN: 978-4-86747-692-5
Edición de Letra Grande en Tapa dura

Publicado por
Next Chapter
1-60-20 Minami-Otsuka
170-0005 Toshima-Ku, Tokyo
+818035793528

25 Mayo 2021

Lightning Source UK Ltd.
Milton Keynes UK
UKHW012044110621
385375UK00001B/48